In de val

Uitgegeven met steun van *The Canadian Council for the Arts* en *The Canadian Department of Foreign Affairs and International Trade.*

Voor George, Bob, Tom, Roy en Jeff – maar vooral voor George

Norah McClintock
In de val
Break and enter, © Norah McClintock, 2002
Published by arrangement with Scholastic, Canada Ltd.
© 2003 voor het Nederlandse taalgebied, Uitgeverij Clavis, Amsterdam - Hasselt
Vertaald uit het Engels door Frieda Dalemans
Oorspr. titel: Break and enter
Oorspr. uitgever: Scholastic, Ontario, Canada, 2002
Original text by Norah McClintock
Omslagill.: Clavis
Trefw.: thriller, valse beschuldigingen, moord
NUR 284
ISBN 90 448 0141 4 - D/2003/4124/080
Alle rechten voorbehouden.

www.clavis.be

In de val

Norah McClintock

Uitgeverij Clavis, Amsterdam - Hasselt

1

Het begon allemaal in de geschiedenisles van mijnheer Lawry. Alleen stond mijnheer Lawry op dat ogenblik niet voor de klas. Hij zou daar pas over zes of acht weken weer staan. Dat was een deel van het probleem. Zijn auto was van de weg gereden door een paar studenten die in Elder Bay een beetje te diep in het glas hadden gekeken. De studenten waren er vanaf gekomen zonder één schrammetje, al hoorde ik dat de voorkant van hun Subaru wel een accordeon leek. Maar mijnheer Lawry had minder geluk gehad. Hij was naar het ziekenhuis afgevoerd met een gebroken heup en een dijbreuk. Zijn vervanger in East Hastings Regional High was mijnheer Green, een pas afgestudeerd strebertje.

Mijnheer Green zag er amper twee jaar ouder uit dan de leerlingen die hij werd verondersteld iets bij te brengen. Hij gedroeg zich als een cipier op leeftijd. Hij had nul komma nul gevoel voor humor, dus zou het me niks verbazen als hij ooit adjunct-directeur werd. En daar zou hij nog heel goed in zijn ook, want hij was niet in staat om een probleem van twee kanten te bekijken – volgens mij besefte hij niet eens dat er een andere kant dan zijn kant bestond.

Voor dat ongeval hem buiten spel had gezet, had mijnheer Lawry een test gepland. Op zijn derde dag in East Hastings Regional High gaf mijnheer Green ons die test. Onderwerp: 'Wat veranderde er in Zuid-Canada nadat de Britten de Fransen hadden verslagen op de Vlakten van Abraham.' Ik kende dat onderwerp op mijn duimpje. Ik was geboren en getogen in Quebec. Dit soort dingen krijg je in de kleuterklas al op je bord, bij je glas melk en je wortelpuree. Dus, ik bedoel maar, voor deze test hoefde ik niet te studeren, laat staan te spieken om hem tot een goed einde te brengen.

Dus daar zat ik, op mijn vaste plaats, derde rij vanaf de deur, derde rij vanaf het bord, mijn antwoorden op het antwoordblad neer te pennen. Links van mij zat Dean Abbott, een potige kerel die een jaar ouder was dan de rest van de klas en niet bepaald een Einstein. Achter hem zaten Rick Antonio en Brad Hudson, atleten die alles van sport en bijna niks van geschiedenis afwisten. Rechts van mij zat Davis Kaye, de nieuwe. Hij was op z'n Toronto's uitgedost: helemaal in het zwart, compleet met zonnebril in de kraag van z'n T-shirt. Recht voor me zat Daria Dattillo. Ze was meteen na de kerstvakantie van plaats gewisseld met Vanessa Sutherland. Ik wed dat ze dat deed omdat dat de enige plaats in de klas was waar haar blik die van mij nooit hoefde te kruisen. Daria had het niet zo op me begrepen, maar dat is een ander verhaal. Vlak achter me zat Julie March. Die had een hekel aan geschiedenis. Frans, wiskunde, biologie en Engels vond ze eigenlijk ook maar niks. Naast haar, aan de andere kant van het gangpad, zat Sarah Moran met haar neus op haar blad te pennen als een bezetene (als ze niet als een bezetene zat te pennen, zat ze als een bezetene te gesticuleren om te mogen antwoorden). Zij was het prijsbeest van East Hastings Regional High – tenminste, tot ik haar vorig trimester van haar troon stootte. Dat kon Sarah blijkbaar moeilijk verkroppen, maar dat zou me worst wezen.

Opeens beende mijnheer Green door het gangpad op me toe. Hij bleef naast mijn tafel staan, maar ik keek niet op. Waarom zou ik? Ik was een juweeltje van een test aan het maken.

'Probleem, mijnheer Kaye?' zei mijnheer Green tegen Davis.

Davis had de zes weken dat hij in East Hastings woonde al altijd naast me gezeten in de geschiedenisles. Hij zanikte tegen iedereen die het wilde horen – en tegen iedereen die het geen bal interesseerde – maar door over hoeveel beter en interessanter het in Toronto was en hoe veel cooler en intelligenter hij was dan wij. Dat hij zo dicht bij me zat, was niet bevorderlijk, want ik hoopte zo onderhand steeds vuriger dat Davis niet één maar een vracht-lading problemen had.

Davis antwoordde mijnheer Green niet. Tenminste, niet met woorden. Later vertelden een paar klasgenoten, die blij waren geweest dat ze even van de test werden afgeleid, dat Davis had geantwoord door in mijn richting te knikken, om precies te zijn naar de vloer onder mijn tafel. Maar dat wist ik op dat ogenblik niet. Ik wist alleen dat mijnheer Green naast me stond en dat hij naar Davis of misschien naar mij keek. Maar dat kon me niet schelen. Ik ging helemaal op in de test. Ik kende het antwoord op elke vraag. En die antwoorden vloeiden uit mijn vingertoppen, via mijn pen op het papier. Ik kende dit onderwerp vanbinnen en vanbuiten. Als mijnheer Green het mirakel van mijn genialiteit wilde bewonderen, mij best.

Toen dook mijnheer Green plotseling onder mijn tafel. Nu was mijn aandacht wel afgeleid. Ik had hem niets horen laten vallen, wat deed hij daar dan? Net toen hij weer overeind krabbelde, keek ik op van mijn test. Hij hield een blad papier in zijn hand. Hij bekeek het aandachtig. Hij keek naar mij. Toen griste hij nijdig mijn antwoordblad van mijn tafel en bekeek dat ook. Zijn ernstige blik werd ronduit grimmig.

'Hé!' zei ik, toen hij mijn blad afpakte. Toen maakte ik wat mijn eerste fout van de dag zou worden. Ik zwichtte voor de drang om het blad uit zijn hand te trekken.

De eerste rode vlekken verschenen net boven de kraag van zijn hemd.

Mijnheer Green had niet alleen de persoonlijkheid van een parkeerwachter, hij was ook een instant-blozer. Als hij emotioneel werd, werd hij vlekkerig. Als hij zich ergerde, opwond of schaamde – het maakte niet uit wat – verscheen er gegarandeerd zo'n klein rood vlekje in zijn nek, alsof hij tegen iemand aan was gelopen met een penseel in de hand. Een beetje hoger in zijn nek zou al snel een tweede vlekje verschijnen. En dan nog een en nog een. Ze deden me denken aan dikke regendruppels die op het trottoir vallen bij het begin van een stortbui, plets, plets, plets, tot het hele trottoir nat is. Of, in het geval van mijnheer Green, tot zijn hele gezicht pioenrood was. Het was een trekje dat nuttig kon zijn – voor zijn vijanden. Aan de snelheid waarmee de vlekken verschenen en zich verspreidden, kon je zien hoe hard je opmerkingen aankwamen. Het moet fantastisch zijn om poker te spelen tegen mijnheer Green – voor geld, niet voor lucifers.

'Je gaat onmiddellijk naar de directrice,' zei hij.

'Waarom?' Dat was fout nummer twee. Blijkbaar kunnen leraren – nou, *sommige* leraren dan toch – het niet waarderen als je ze tegenspreekt. Al zei ik eigenlijk niks. Ik vroeg iets.

Hij hield het blad papier dat hij van de vloer had geraapt, omhoog. Het duurde even voor ik erop kon inzoomen. Maar toen dat lukte, zag ik dat het vol aantekeningen stond – aantekeningen over de gevolgen van de Franse nederlaag op de Vlakten van Abraham. De aantekeningen waren met paarse inkt geschreven. Ik schrijf altijd met paarse inkt. Hé...

'Het is niet van mij, als u dat dacht,' zei ik.

'Naar de directrice,' zei hij. Beval hij, eigenlijk. 'En daar wacht je op me.'

Ik kon het niet geloven. Hij dacht dat ik had gespiekt.

'Ik zou die test met mijn ogen dicht kunnen maken,' zei ik.

'De directrice!' zei hij. De vlekken waren opgeklommen tot boven zijn kin en namen stormenderhand zijn wangen in.

'Het is niet van mij,' zei ik nog eens. Ik keek de klas rond. Iedereen zat me aan te staren. Een paar – onder andere Rick Antonio, Brad Hudson en Sarah Moran – zaten te grijnzen.

'Als ik het je nog een keer moet zeggen...'

'Het is al goed,' zei ik. 'Ik ben al weg.'

Juffrouw Jeffries, de directrice van East Hastings Regional High, gluurde over haar leesbril naar me toen ik het secretariaat binnenkwam. 'Goeiemorgen, Chloe,' zei ze. 'Waaraan heb ik dit bezoekje te danken?'

'Mijnheer Green heeft me gestuurd.'

Ze wachtte. Toen ik geen verdere uitleg gaf, zei ze: 'En mag ik vragen waarom?' Ik deed mijn mond open om het haar te vertellen, maar besloot toen het mijnheer Green zelf uit te laten leggen. 'Hij zei dat ik hier op hem moest wachten,' zei ik.

Lang hoefde ik niet te wachten. Tien minuten nadat ik op de bank was gaan zitten, ging de bel. Een paar minuten later beende mijnheer Green met mijn test en het blad papier dat hij onder mijn lessenaar had gevonden, het secretariaat binnen.

'Ik heb dit meisje betrapt op spieken,' zei hij.

Juffrouw Jeffries keek me verbaasd aan. 'Misschien moeten jullie allebei maar even meekomen naar mijn kantoor,' zei ze.

We volgden haar achter de balie naar de grootste van de drie kantoren die uitkwamen op de gang naast het secretariaat. Ze ging aan haar werktafel zitten en wees ons de stoelen tegenover haar aan. 'Vertel nu eens wat er allemaal aan de hand is.' Ze keek me recht in de ogen.

'Ik weet het niet,' zei ik. 'Ik was bezig met mijn test geschiedenis en opeens trok mijnheer Green het antwoordblad uit mijn handen en zei hij dat ik hierheen moest komen.'

'Ik heb dit onder haar tafel gevonden,' zei hij. Hij gaf haar het eerste blad papier. 'Kijkt u zelf maar. Dit is ontegenzeglijk een spiekbrief en het is ontegenzeglijk haar handschrift.' Hij gaf haar het tweede blad papier, mijn antwoorden.

Juffrouw Jeffries zette haar leesbril weer op en bestudeerde de twee bladzijden. Haar vriendelijke gezicht werd ernstig.

'Heb je hier een verklaring voor, Chloe?'

Ik schrok van haar plechtige toon. Ze schoof de bladzijden over haar werktafel naar me toe. Ik bekeek de spiekbrief nu wat aandachtiger. Zelfs ik kon mijn verbazing niet verbergen.

'Dat is niet van mij,' zei ik, maar ik voelde me net een personage uit zo'n melige sciencefiction dat oog in oog heeft gestaan met het onmogelijke – een levend, ademend ruimtewezen met drie ogen. De spiekbrief was niet alleen geschreven in paarse inkt. Hij was geschreven in een handschrift dat vreselijk veel op dat van mij leek.

'Ik zweer u dat hij niet van mij is, juffrouw Jeffries,' zei ik. 'U kent me toch.' Nou ja, ze kende me nog maar zeven maanden – niet bepaald een eeuwigheid. 'Ik hoef niet te spieken voor geschiedenis. Dat is een van mijn beste vakken.'

'Misschien is het een van je beste vakken door de manier waarop je je testen voorbereidt,' sneerde mijnheer Green.

'Kun je dit verklaren, Chloe,' zei juffrouw Jeffries.

'Ik heb er geen verklaring voor. Maar die spiekbrief is niet van mij.'

Juffrouw Jeffries zuchtte en leunde achterover in haar stoel. 'Als je aan het spieken was, is dat een heel ernstige zaak,' zei ze. Ze klonk verward. Ze kon zich blijkbaar niet voorstellen dat ik had gespiekt en dat had me moeten geruststellen. Zij dacht tenminste niet dat ik altijd spiekte, zoals mijnheer Green. Maar ik was niet gerustgesteld. Ik was woest. 'Die spiekbrief is *niet* van mij,' zei ik nog eens. Misschien zei ik het een beetje te hard. Misschien klonk het alsof ik schreeuwde.

'Iedereen die wordt betrapt op spieken, krijgt automatisch een F,' zei mijnheer Green. 'Dat zijn de regels.' Hij was helemaal het type dat reglementen leest en zelfs uit het hoofd leert.

'Kom nou, zeg...'

Juffrouw Jeffries keek naar de twee bladen papier. Eerst bestudeerde ze het ene, dan het andere. Toen ze opkeek naar mij, las ik de teleurstelling in haar ogen. 'Ik begrijp niet waarom je zoiets zou doen, Chloe, maar ik ben bang dat ik het eens moet zijn met mijnheer Green,' zei ze. 'F op de test en een week nablijven.'

'Eén week?' Die ongelovige stem kwam van mijnheer Green, niet van mij. 'Voor zo'n ernstig vergrijp...'

Juffrouw Jeffries legde hem met een strenge blik het zwijgen op.

'Je kunt gaan,' zei ze tegen mij.

Nou, bedankt, zeg.

'Is het waar?' vroeg Ross terwijl hij zich in de cafetaria op de stoel naast mij liet glijden. Ross Jenkins is de eindredacteur van de schoolkrant en zogezegd een vriend van me. Maar wat voor vriend ben je als je zo'n vraag stelt? Ik keek hem een ogenblik aan en verdiepte me toen weer in mijn boek.

'Ik heb gehoord dat het jouw handschrift was op die spiekbrief,' zei hij.

Ik draaide een bladzijde om en las verder.

'Is dat waar?' vroeg hij.

Hij begon me behoorlijk te irriteren.

'Oké, dus als ik het goed begrijp,' zei ik, 'vraag jij mij of het waar is dat ik zat te spieken voor de test van geschiedenis. Dat bedoel je toch, hè?'

Blijkbaar had hij toch nog een beetje fatsoen, want hij keek beschaamd. 'Begrijp me niet verkeerd,' zei hij. 'Ik weet dat je het niet hebt gedaan.'

'Waarom vroeg je het dan?'

'Omdat iedereen zegt dat jouw handschrift op die spiekbrief stond.'

'En hoe weet *iedereen* dat zo goed?' vroeg ik. 'Heeft *iedereen* die brief gezien, dan?'

'Davis wel. En Julie March.'

'En die twee hebben het blijkbaar aan de hele school doorverteld,' zei ik. Leuke vrienden! Niet dat Davis en Julie mijn vrienden waren. Maar waarom moesten ze zo nodig over me roddelen?

13

Toegegeven, het was een sterk verhaal. En misschien zou ik hetzelfde doen als iemand die ik kende betrapt was op spieken. Maar er was één klein probleempje. Ik had niet gespiekt.

'Dus jij beweert dat het je handschrift niet was?' zei Ross.

Van hem had ik toch iets beters verwacht. Maar toen dat niet kwam, klapte ik mijn boek dicht, stond op en beende ik de cafetaria uit.

Ik sleepte me door de rest van de schooldag, bleef na en ging een uur later dan normaal naar huis. Ik slenterde door Centre Street en kwam bij de kruising met Cedar Road, de straat waar ik woon, toen er naast me een politieauto stopte. Levesque zat achter het stuur. Louis Levesque is mijn stiefvader en de hoofdcommissaris van de politie in East Hastings. Ik stapte in.

'Rotdag?' vroeg hij na een korte stilte.

'Ja.'

'Zin om erover te praten?'

'Nee.' Stilte. Zalige stilte, dacht ik. Ik had beter moeten weten. Ik had moeten beseffen dat die stilte bedoeld was om me de kans te geven toch maar iets anders te antwoorden – men heeft namelijk ontdekt dat een groot percentage criminelen ernaar snakt om zijn misdaden op te biechten. Een goeie smeris geeft hun die kans. Als ze die kans niet grijpen, floept de smeris automatisch in kruisverhoorstand. 'Alice Jeffries heeft me vanmiddag gebeld,' zei hij.

Als ik had mogen wedden op de volgende vraag die hij zou

stellen, zou ik de hoofdprijs hebben gewonnen.

'Wil je me vertellen wat er is gebeurd?' zei hij. Dat was de favoriete vraag van elke agent. Soms denk ik dat elke nieuweling ze op de politieschool op zijn kont getatoeëerd kreeg.

'Waarom? Als je met juffrouw Jeffries hebt gesproken, weet je toch al wat er is gebeurd?'

We waren ongeveer halfweg Cedar Road, maar in plaats van verder te rijden, stopte Levesque langs de kant van de weg.

'Ik kan me vergissen, hoor,' zei hij, 'maar jij was toch juist heel goed in geschiedenis?'

Ik zei niks. Er viel niks te verbeteren.

'En daarom lijkt het me onwaarschijnlijk dat je daarvoor zou spieken,' zei hij.

'Dank je.' Als ik sarcastisch klonk, kwam dat door die 'onwaarschijnlijk'. Waarom zei hij niet 'onmogelijk'?

'Heb jij vijanden op school?' zei hij.

Ik dacht dat hij een grapje maakte.

'Of misschien een dubbelganger?' zei hij. Ik ving een glimp van een glimlach op onder zijn borstelige snor.

'Tof,' zei ik. 'Daar zat ik nog op te wachten, een boze twee-lingzus.'

'Daar zat de wereld nog op te wachten,' zei hij. Toen werd hij weer ernstig. 'Alice zei dat ze geen keuze had, dat ze je een F voor die test moest geven. Ik had de indruk dat ze zich daar slecht bij voelde.'

'Ze was teleurgesteld in me, hè? Net als jij.'

Hij keek me met zijn koolzwarte kijkers recht in de ogen. Als hij zo naar me keek, had ik altijd medelijden met de bandieten die hij in de loop der jaren onder de grill had gelegd. Ze hadden geen schijn van kans gehad.

'Ik ben niet teleurgesteld,' zei hij, 'omdat er niks is om teleurgesteld over te zijn. Jij spiekt niet.'

Oké. Dat klonk alsof hij geloofde dat ik onschuldig was.

'En geloof me,' zei hij. 'Als ik er ooit achter kwam dat je wel spiekte, zou mijn teleurstelling nog de minste van je zorgen zijn.'

'Iedereen denkt dat ik het heb gedaan,' zei ik.

'Iedereen?'

'Nou, toch veel mensen.'

'Niet de mensen die je kennen,' zei hij.

Lees: niet de belangrijke mensen. Nou, de meeste belangrijke mensen dan niet. Van Ross wist ik het niet zeker.

'Het leek in elk geval sterk op mijn handschrift,' zei ik. Dat zat me het meeste dwars.

Hij startte de auto opnieuw en reed Cedar Road weer op.

'Als jij die spiekbrief niet hebt geschreven en hem niet onder je tafel hebt laten vallen,' zei hij, 'moet je je afvragen wie dat dan wel heeft gedaan.'

2

Ik reikte naar mijn ochtendkopje koffie. Het goeie nieuws, bedacht ik, was dat het ergste in ieder geval al achter de rug was. Woensdag was de laatste echte hindernis van de week en donderdag de laatste helling naar het weekend. Halleluia! Het slechte nieuws was dat ik vandaag geschiedenis had. Ik had het aan bijna iedereen die bij mij in de geschiedenisles zit, gevraagd. Maar ik was geen millimeter opgeschoten in mijn onderzoek naar hoe die spiekbrief onder mijn tafel was beland. Niemand leek iets te weten. Niemand had iets gezien. En aan het einde van de dag wachtte mijn derde keer nablijven van de vijf. Mijnheer Green kennende zou hij opnieuw binnenvallen om te controleren of ik er nog wel was. Ik besloot om mijnheer Lawry een 'veel beterschap'-kaart te sturen.

Ik zat aan de keukentafel koffie te slurpen en blocnotes en schoolboeken in mijn rugzak te proppen, toen er een kom stroperige smurrie in mijn gezichtsveld verscheen. Shendor, onze golden retriever, snuffelde er eens aan, draaide zich weer om en slenterde de kamer uit. Ik dacht altijd dat ze alles at, maar havermout ging zelfs voor haar een stap te ver.

'Wat is dit?' vroeg ik aan Levesque.

Hij schudde meewarig zijn hoofd. 'En dat is dan de beste van de klas,' zei hij.

Très amusant. 'Ik zal het anders formuleren,' zei ik. 'Waar is dit goed voor?'

'Om je dag gezond te beginnen.'

Net op dat ogenblik kwam Phoebe de kamer binnengewaaid. Phoebe is mijn zusje. Een van haar irritante eigenschappen is dat ze 's ochtends altijd één brok energie is. Mensen die 's morgens vroeg al zo opgewekt als Phoebe zijn, zouden moeten worden gedwongen om heel hun leven om zes uur 's ochtends naar de cheerleader-les te gaan. Dan zouden ze wel een toontje lager zingen en de rest van hun gezin dat Disney-enthousiasme besparen.

'Ooooh! Havermout!' zei ze, alsof de pot die Levesque vasthield vol briefjes van duizend zat. 'Waar hebben we dat aan te danken?'

Levesque kwakte een dikke lepel beige smurrie voor haar in een kommetje.

'Da's goed voor je,' zei hij.

'Je klinkt als die zure ouwe vent op tv,' zei ik. Ik keek hoe Phoebe melk over haar havermout goot en er bruine suiker over strooide, die ze aan mij wilde doorgeven.

'Nee, bedankt,' zei ik. Ik lust geen havermout. Ik lust 's morgens niks dan koffie. Ik neem wel altijd een stuk fruit of een broodje met kaas mee voor onderweg. Meestal wordt mijn maag wakker als ik halverwege ben.

'Je kunt toch tenminste een keertje proeven,' zei Levesque tegen mij.

'Het komt door dat boek dat mama aan het lezen was, hè?' zei ik.

'Welk boek?' Mijnheer Poker-Face werd al een beetje ongemakkelijk. Goed zo.

'Je weet wel, dat boek over gezond leven als je oud wordt.'

Phoebe giechelde.

'Wil je beweren dat je moeder oud wordt?' vroeg Levesque. Goed geprobeerd.

'Ze heeft twee kinderen op de middelbare school en één op de universiteit.' Mijn zus Brynn was in Montreal gebleven omdat ze op Dawson College studeerde. Mama was voor een paar weken bij haar op bezoek. 'Dan kun je haar toch geen groen blaadje meer noemen,' zei ik. 'En jij bent nog ouder dan zij, hè?'

'Eet je havermout nu maar op,' zei hij. Phoebe had die van haar al bijna helemaal op.

'Waar is die van jou?' vroeg ik aan Levesque.

Hij kwakte nog een portie havermout in een kom, zogezegd voor zichzelf. De telefoon rinkelde. Levesque had de hoorn te pakken voor Phoebe of ik konden opstaan. Als je het mij vraagt, was hij een beetje te gretig.

'Wanneer?' zei hij in de hoorn. En toen: 'Waar?' Twee woorden die erop wezen dat hij een collega aan de lijn had. 'Goed, ik kom er zo aan.'

'En je havermout dan?' zei ik toen hij weer oplegde.

Tot mijn verbazing droeg hij zijn kommetje naar de tafel, ging zitten en schonk er melk in.

'Was dat Steve niet, aan de telefoon?' vroeg ik. Steve Denby werkte voor Levesque.

'Jawel.'

'Je zei dat je er zo aankwam.'

Hij haalde zijn schouders op. 'Er is ingebroken in één van de bungalows in het park,' zei hij. 'De dader heeft al lang het hazenpad gekozen, dus heeft het geen zin om zonder gezond ontbijt de deur uit te gaan.' Hij keek betekenisvol naar mijn kom havermout die daar koud stond te worden.

'Gezond ontbijt?' zei ik en ik liet mijn blik over de keuken dwalen. 'Waar?'

Rick Antonio zat op de motorkap van zijn auto, een oude zwarte Chevette waar hij veel te trots op was. Ik bedoel, stel je voor, een Chevette. Hij stond geparkeerd in een hoek van het parkeerterrein van de school. Toen ik hem zag, had ik zin om op mijn stappen terug te keren. Rick had het niet op mij begrepen en ik niet op hem sinds ik er een paar weken geleden in een vlaag van verstandsverbijstering mee had ingestemd om met hem naar een concert in Morrisville te gaan. Het concert was niets bijzonders, de rit terug naar East Hastings een marteling – drie kwartier loeiharde muziek en non-stop stoere praat. Toen hij probeerde te parkeren om 'een beetje fun te maken' – zijn woorden, niet die van mij – kregen we ruzie. Ik eiste dat hij me naar huis bracht. De eerste paar dagen daarna had Rick me op school straal genegeerd. Toen was hij me beginnen te jennen als hij de kans had. Hij noemde me IJsprinses en bekogelde me in de geschiedenisles constant met papierpropjes. Op een keer kwam ik de klas in en stond er 'Voor een beetje fun, bel Chloe NIET' op het bord. Ik kan niet bewijzen dat hij dat heeft geschreven, maar ik zou er grof geld op durven te verwedden.

Ik gluurde naar hem. Hij had me zien aankomen en volgde me met zijn ogen, dus liep ik recht op hem toe.

'Hoi schatje,' zei hij.

Ik negeerde hem.

Hij liet zich van de motorkap glijden en kwam voor me staan.

'Hé lekker dier, ik heb het tegen jou,' zei hij.

'Oh,' zei ik. 'Dat wist ik niet. Ik heet niet schatje of lekker dier.'

'Juist ja,' glimlachte hij nog steeds. 'Was ik vergeten. Er is niks lekkers aan jou. Misschien zou je wel hebben gereageerd als ik IJsprinses had gezegd.'

Dan zou ik hem zelfs een dreun hebben verkocht.

'Wat moet je, Rick?'

'Ik probeer gewoon vriendelijk te zijn,' zei hij. 'Er zijn nog mensen die wel hun best doen, weet je.'

Ik zette een stap opzij om langs hem te komen.

'Hé,' zei hij. Zo makkelijk kwam ik niet van hem af. Met een zucht draaide ik me naar hem om. 'Je weet toch wat ze zeggen, hè,' zei hij. 'Liegen en bedriegen loont nooit.'

'Blij dat je zo flink hebt opgelet op de kleuterschool, Rick,' zei ik. 'Heb je nog meer wijze woorden die je met me wilt delen?'

Hij schudde zijn hoofd en slaakte een lange, harde zucht. 'Die Miss Perfect toch,' zei hij. 'En dan blijkt dat ze moet spieken voor haar A's.'

Ik negeerde die opmerking en liep het schoolplein op. Wat een idioot, zeg. Maar ik vroeg het me toch af – was deze idioot slim genoeg om me in de nesten te werken? En zo ja, hoe kon ik hem dan ontmaskeren?

'Kies een van de onderwerpen op de bladzijde,' zei mijnheer Green. 'Ik wil van ieder van jullie een werkstuk van vijftienhonderd woorden.'

Terwijl iedereen die boodschap tot zich door liet dringen, was het even stil, maar toen klonk er van overal gezucht. Vijftienhonderd woorden, dat betekende zes getypte bladzijden. Of tien tot twaalf bladzijden met de hand. Mijnheer Lawry vroeg nooit meer dan drie, vier bladzijden. Hij zei altijd dat je niet meer nodig had om te laten zien dat je een onderwerp onder de knie had. Nog iets waarin mijnheer Lawry en mijnheer Green van elkaar verschilden.

'En ik verwacht authentieke teksten,' zei mijnheer Green. 'Geen letterlijke overname uit een boek. Geen recycling van werkstukken van vorig jaar. Geen download van het internet.' Hij keek uitdrukkelijk naar mij. 'Heb je dat begrepen, Chloe?'

Wow! Dat was rechtstreeks tegen mij. Wat betekende dat hij dacht dat ik een extra waarschuwing nodig had.

'Ik heb het helemaal begrepen, mijnheer Green,' zei ik.

Daar kickte hij op. Hij grijnsde breed naar de klas.

'Mijnheer Green?' zei ik.

Hij draaide zich naar mij.

'Ik vroeg me af of u een speciale reden hebt om die opmerking rechtstreeks tegen mij te maken.'

Hij zei niets.

'Omdat het nu net klinkt alsof u alleen tegen mij zegt dat ik niet mag plagiëren. Dat vind ik niet eerlijk.'

Nu zat de hele klas me aan te gapen – nou, behalve Daria Dattillo, die recht voor me zat en er een erezaak van maakte om te doen of ik lucht was. Ik had zin om tegen mijnheer Green te zeggen dat, als er iemand te horen moest krijgen dat plagiëren niet kon, het Daria was. Dat was trouwens de reden waarom ze me haatte. Ik had haar op plagiaat betrapt. Ik had haar ontmaskerd en dat had ze me nooit vergeven.

'Ik zeg tegen iedereen dat ze niks mogen overschrijven,' zei mijnheer Green. 'Dus ook tegen jou.'

Goeie save, dat moest ik hem meegeven. Maar het was niet ik die daar helemaal onder de rode vlekken voor de klas stond. En ik had een hekel aan mijnheer Green.

'Dus als ik het goed begrijp,' zei Davis, 'wil je dat ik een artikel schrijf over het menu van de cafetaria?' Hij staarde Ross verbijsterd aan.

Het was middagpauze en we hielden een redactievergadering in het lokaal van de schoolkrant. 'Wat heeft het menu van de cafetaria nu voor nieuwswaarde?' wilde Davis weten. Hij had een zonnebril op. Hij had hem op het puntje van zijn neus geduwd en keek er bovenuit.

Goeie vraag. Al was ik blij dat Ross dat artikel aan Davis had toegewezen. Liever hij dan ik. Toen ik naar de rest van de *Herald*-redactie keek, zag ik dat zij er net zo over dachten. Het was ook zo'n dom idee – weer een van die eindeloze, zogenoemde nieuwsflashes over de school die mevrouw Peters absoluut in de *Herald* wilde zien.

'Dat 'Eet Slim'-menu is na de kerstvakantie ingevoerd door het lobbywerk van een aantal studenten,' legde Ross uit. Hij moest het even uitleggen, want Davis zat nog maar twee maanden op East Hastings, wat betekende dat het 'Eet Slim'-menu was ingevoerd voor hij op school zat. 'Nu kunnen we eens bekijken of het succes heeft gehad.'

Volgens mij was ik niet de enige die zag dat Ross er ook niet bepaald warm voor liep. Soms was hij echt het slaafje van mevrouw Peters, maar zelfs hij kende het verschil tussen nieuws en vulsel.

Het idee achter 'Eet Slim' was om alle 'junkfood', zoals hamburgers, pizza, friet met saus en voorverpakte snacks te bannen en gezonde dingen, zoals groenteburgers, broodjes met humus en taugé, worteltjes, selderstengels en vers fruit in de plaats te geven. Ik had niet mee gelobbyd, maar ik had de petitie ondertekend en was blij dat het plan was uitgevoerd.

'Je kunt je oor misschien eens te luisteren gaan leggen bij Ralph's,' zei ik tegen Davis. Ralph's was een vettige hamburgertent in de buurt van de school. Daar stonden hamburgers, pizza en friet met saus op het menu. Ralph serveerde ook een uitgelezen assortiment aan voorverpakte snacks. 'Het zou best kunnen dat je de hele voetbalploeg daar tegenkomt.'

'Reken maar dat je ze daar tegenkomt,' zei Eric Moore, onze sportredacteur.

'Mijn oor te luisteren leggen, vergeet het maar,' zei Davis. 'Je krijgt me daar met geen stokken naar binnen. En dat artikel kun je ook vergeten. Het is het belachelijkste, achterlijkste idee dat ik heb gehoord sinds ik hier ben.'

Davis deed niets liever dan ons eraan herinneren dat hij niet van een achterlijk dorp kwam. Hij kwam van Toronto. Ik denk dat dat moest verklaren waarom hij zo cool was. Davis had ontdekt dat het leven in een dorp anders was dan het leven in de grote gesofistikeerde stad. Dat zinde hem absoluut niet en hij nam dat iedereen in East Hastings bijna persoonlijk kwalijk.

'Luister Davis, hier werkt het nu eenmaal...' begon Ross.

'Ik ben het spuugzat om te moeten horen hoe het hier werkt. In mijn vorige school in Toronto...'

'Van spuugzat gesproken,' mompelde ik.

Davis draaide zich naar mij. 'Jij denkt echt dat je het allemaal weet, hè?' zei hij. 'De dochter van een smeris. Ik heb gehoord hoe ze je noemen – Miss Perfect, die spiekt!'

'Pardon?' zei ik, een beetje overrompeld door die uitval. En wat bedoelde hij met *ze*? Ik dacht dat alleen Rick me zo noemde.

'Vanaf de eerste dag dat ik hier ben, loop je me zwart te maken – over waar ik vandaan kom, mijn oude school, mijn reputatie.'

Die eerste twee liet ik ongemoeid. Ik bedoel, Toronto en een rijke-stinkerds-school – dan weet je het toch wel?

'Welke reputatie?' zei ik. 'Voor zover ik weet, ben je een legende in je eigen hoofd en nergens anders.'

Zijn ogen brandden in die van mij. 'Vandaar dat ik al zoveel prijzen heb gewonnen,' zei hij. 'Ik heb op een echte school gezeten, niet op zo'n zielige vertoning voor boerenpummels als hier. En we hadden een echte krant die over echte onderwerpen schreef, niet over het menu van de cafetaria.'

De vorige school van Davis had blijkbaar hopen geld. Blijkbaar was de vader van een van de leerlingen een belangrijke dagbladuitgever. Blijkbaar garandeerde dat het bestaan van een *echte* krant met een *echt* budget. Maar daar had Davis weinig aan – zijn ouders waren met ruzie uit elkaar gegaan. Zijn moeder had gevochten voor het voogdijschap over Davis en had het ook gekregen.

Ze had hem uit zijn exclusieve omgeving weggerukt en hem naar East Hastings 'gesleurd', zoals Davis het altijd formuleerde, zodat ze de scheiding kon verwerken en tegelijkertijd voor haar oude en hulpbehoevende moeder kon zorgen. Arme, arme Davis.

'En hier werkt het zo,' zei Ross, die vermoeid het strijdperk in slofte – hij werd zo moe van Davis – 'je krijgt een onderwerp en je schrijft erover.'

'Mag je hier nog niet eens een voorstel doen? Zo ben ik kunnen beginnen aan die reeks over straatkinderen in…'

'Yonge Street,' zei ik. 'Dat heb je al eens verteld.'

Hij had een paar dagen echt als straatkind geleefd, hij was met ze opgetrokken, mee gaan bedelen, had bij ze gewoond. Zelfs ik moest toegeven dat het een goed idee was. Dat zou ik Davis ook hebben gezegd, als hij er niet constant over had lopen opscheppen. Dus zei ik maar: 'Over iets sensationeels kan iedereen een artikel schrijven, Davis. Maar een cafetariamenu boeiend maken, dat is pas een prestatie.'

Davis bliksemde me neer met zijn ogen. 'Ik schrijf alleen over belangrijke dingen, dingen waar ik om geef, dingen waar ik me helemaal in kan verdiepen. Ik ben een diepgravende reporter, geen broodschrijver. Ik heb een prijs gewonnen voor mijn reeks artikels over de alternatieve muziekscene van Toronto,' voegde hij eraantoe, alsof niet iedereen in het lokaal dat al honderd keer had gehoord.

'In dat geval,' zei Ross, 'mogen we die uitgelezen muziekkennis van jou niet onbenut laten. Jij schrijft iets over de korenwedstrijd. Ons schoolkoor was eerste op de regionale wedstrijd en bereidt zich nu voor op het provinciaal concours…'

'Ik zou nog liever al mijn tanden laten trekken,' zei Davis. 'Maar nu even serieus. Als ik nu eens een artikel schrijf over de zogenaamde punkscene in Sukkelville?' Davis vond Morris een naam voor sukkels, dus noemde hij Morrisville Sukkelville.

'Ik dacht het niet,' zei Ross.

'Hoezo, ik dacht het niet?'

'Niet, dus,' zei Mark Goulbert. Mark tekende cartoons voor de krant. Daar was hij heel goed in.

'Waarom niet?'

'Omdat we over het nieuws van East Hastings schrijven, niet van Morrisville,' zei ik. Ik bedoelde het als een steek naar Ross. Ik was al zo vaak met ideeën gekomen, maar ze waren steeds afgewezen omdat het per se lokaal nieuws moest zijn. Voor het gemak werd gewoon vergeten dat we ook nog in een dorp woonden, laat staan in een land. En dan zwijg ik nog over wat er op de planeet allemaal gebeurt. Voor een reporter van de Herald bestaat de grootste uitdaging erin om niet in slaap te vallen tijdens een opdracht. Maar ik denk dat Davis de sarcastische ondertoon van mijn opmerking niet had gehoord, want hij keek me aan alsof ik zo'n kruiperig pr-mens was dat ijverig de bedrijfsfilosofie opdreunde.

'Oké,' zei hij. 'En een artikel over oneerlijke praktijken, mag dat dan? Nog beter, een artikel over de dochter van de plaatselijke politiecommissaris die spiekt? Oh nee, wacht even, dat is waarschijnlijk niks nieuws!'

'Hey!' zei ik. Opeens rakelde iedereen die me op mijn nummer wilde zetten dat van die spiekbrief op.

'Hey Davis, dimmen. Aan dat gebekvecht hebben we helemaal niks,' zei Ross. Hij had zichtbaar moeite om zich kalm te houden.

'Aan die zogenaamde krant hebben we nog veel minder,' zei

Davis. 'Het enige waar dat vod papier goed voor is, is om me in slaap te krijgen.' Ik was het niet oneens met zijn standpunt, maar wel met hem als persoon. 'Hé, ik heb nog een idee,' zei hij. 'Waarom hou je geen enquête bij de lezers? Waarom vraag je de mensen niet wat ze eigenlijk van de *Herald* vinden?'

Ross begon zijn stekels op te zetten.

'Daar heb ik geen probleem mee,' zei Eric. Waarom zou hij ook. Iedereen was dol op sport. En bijna iedereen – zeker honderd procent van de voetballiefhebbers – was trots op de ploeg van East Hastings Regional High, die steevast de regionale kampioenschappen won. Eric werd ronduit lyrisch als hij over de ploeg schreef en de sportpagina's werden dan ook gretig gelezen.

'We houden *geen* enquête,' zei Ross. 'We kunnen onze tijd veel beter voor iets anders gebruiken.'

'Ja, om ze te vragen of ze groenteburgers lusten,' zei Davis.

'De leerlingen van deze school eisten een ander menu,' zei Ross. 'Nu hebben ze het en wij hebben de plicht om er iets over te schrijven. Je krijgt tot volgende week vrijdag.'

'Niks daarvan,' zegt Davis. 'Ik hoef dit niet te pikken. Ik ben bezig aan een filmscenario. Ik maak heel veel kans voor het zomerprogramma van het Canadese Film Instituut. Ik ken er iemand…'

'Oh nee, daar gaan we weer,' zei iemand. Niet ik, maar Eric. We hadden al evenveel gehoord over dat scenario van Davis als over zijn schoolkrantartikels waar hij prijzen mee had gewonnen en de film die hij had gemaakt – de video, eigenlijk – en die ook in de prijzen was gevallen. Blijkbaar was de vader van een van zijn vroegere schoolvrienden een filmproducent en had die zijn video gezien. Blijkbaar stond hij helemaal achter Davis. Blijkbaar was Davis te briljant om waar te zijn.

'Nu heb ik er genoeg van,' zei Davis. 'Ik neem ontslag.'

Vreemd, niemand probeerde hem tegen te houden. Als hij niet meer voor de krant schreef, zou hij aan de literatuurkrant van de school of het jaarboek moeten werken. Arme, arme literatuurkrant. Arm, arm jaarboek.

'Sorry dat ik het zeg,' zei ik toen Davis het lokaal was uitgestormd, 'maar ergens heeft hij gelijk. De krant zou een stuk interessanter zijn als we over dingen konden schrijven die de mensen ook echt interesseren.'

'Dat kan nu eenmaal niet,' zei Ross. We staarden hem allemaal aan. 'Ik bedoel, de leerlingen willen weten wat er in de school gebeurt,' zei hij. 'Als ze over iets anders willen lezen, moeten ze maar andere kranten lezen.'

'Maar waarom kunnen we dat niet veranderen? Waarom kunnen we niet schrijven over dingen die de mensen van deze school interesseren? Waarom moeten we ons beperken tot wat er letterlijk *in* de school gebeurt?'

'Omdat het nu eenmaal zo is,' zei Ross.

'Chloe heeft gelijk,' zei Mark Goulbert. 'Een schoolkrant hoeft toch niet noodzakelijk *over* de school te gaan?'

'Maar mevrouw Peters...' begon Ross.

Hij kreeg vandaag geen enkele zin af.

'Misschien is dat idee van een enquête nog niet zo slecht,' zei ik. 'Misschien kunnen we de mensen vragen of ze het anders willen en als dat zo is, hebben we iets om mevrouw Peters te overtuigen.' Het leek zelfs een goed idee. 'We kunnen in het volgende nummer van de krant een kleine enquête plaatsen. En dan stellen we het zo op dat de mensen hem kunnen uitknippen en in een bus stoppen.

'Een soort stembus,' zei Mark.

'Ik kan rond de enquête stippellijntjes trekken en er zo'n schaartje bijzetten. Dan weten de mensen wat de bedoeling is,' zei Aiysha Winston. Aiysha deed de lay-out en de bladschikking.

'Lijkt me een goed plan,' zei Eric. Zijn blik stond op oneindig, alsof hij de *Herald* voor zijn ogen in de *Sports Illustrated North* zag veranderen. Eric was een atleet die altijd het maximum haalde voor Engels.

Hij wilde een echte sportjournalist worden. Hij versloeg de plaatselijke sportevenementen voor de *Beacon* van East Hastings en omgeving, die twee keer per week verscheen. Dat betaalde niet veel, maar het betaalde.

We stonden allemaal achter het plan – althans bijna allemaal – en uiteindelijk besloten we het te proberen.

'Dit is geen aanval op *jou*,' zei ik na de vergadering tegen Ross. 'Iedereen vindt dat je het heel goed doet.'

'En daarom willen ze nu alles veranderen,' mopperde hij.

'Verandering is iets positiefs, Ross. Niks persoonlijks.'

31

'Je zegt het maar. Oh, tussen haakjes, jij doet het cafetaria-artikel. Niks persoonlijks, hoor.'

Mijnheer Green kwam de klas binnen om te controleren of ik wel was nagebleven. Mijn geschiedenisboek lag opengeslagen voor me en ik zat een stuk te lezen voor zijn les. Daar zou hij toch blij om mogen zijn. Mijnheer Lawry was altijd gelukkig als hij zijn leerlingen een geschiedenisboek zag lezen. Maar mijnheer Green vond het alleen maar frustrerend.

'Het is wel de bedoeling dat dit een straf is, hoor,' zei hij tegen mijnheer Azoulay, die de nablijvers deze week moest surveilleren.

Mijnheer Azoulay keek verschrikt op van de stapel papieren die hij aan het verbeteren was. Ik denk dat hij bang was dat al zijn nablijvers waren gevlucht. Maar nee, we zaten er nog steeds. Dean Abbott, Morgan Hicks (voor wie nablijven vaste prik was), Brad Hudson en ikzelf.

'Ze zitten hier toch voor straf,' zei mijnheer Azoulay.

'Maar ze zitten hun huiswerk te maken.' Mijnheer Green wees met zijn kin naar mij.

Mijnheer Azoulay keek verward en zei niks. Ik begreep ook niet wat het probleem was.

'Ze moeten voelen dat ze zijn gestraft,' zei mijnheer Green. 'Hoe kan dit een straf zijn als ze straks klaar zijn met hun huiswerk en worden beloond met een vrije avond? Toen ik nog op school zat, kreeg je extra werk. Je moest bijvoorbeeld een bladzijde uit het woordenboek overschrijven. En als je dan thuiskwam, moest je nog aan je huiswerk beginnen.'

Voor zo'n jonge vent was mijnheer Green een ouwe zeur. Straks begon hij nog over de charmes van tien – of nee, doe maar twintig – kilometer naar school lopen door een sneeuwtapijt dat tot aan je middel kwam.

Mijnheer Azoulay keek naar Dean Abbott, Morgan Hicks, Brad Hudson en mij. We zaten allemaal met een boek voor ons, pen in de hand, te werken of te doen alsof. Het feit dat we onze tijd gebruikten om ons huiswerk te maken, leek hem niet te hinderen. Integendeel. Hij keek mijnheer Green aan. 'Dank u voor uw suggestie,' zei hij.

We schoten allemaal in de lach. Op mijnheer Greens gezicht verschenen de eerste vlekken al en hij ging de klas uit. Vijf minuten later stond hij daar opnieuw met juffrouw Jeffries. Daar zat ik weer in het secretariaat, op een bankje, op Levesque te wachten. Ik zat behoorlijk in de nesten. Maar niet voor wat er onder het nablijven was gebeurd. Het was voor iets dat er op het parkeerterrein van de school was gebeurd.

3

Levesque zat rechts van mij, mijnheer Green links en juffrouw Jeffries recht tegenover mij, aan haar werktafel. Ze keken me allemaal aan.

'Ik heb het niet gedaan,' zei ik.

Ik had de grootste moeite om niet in woede uit te barsten. Ik was ervan beschuldigd een band van mijnheer Greens auto kapot te hebben gestoken. Mijnheer Green had me daarvan beschuldigd.

'Dus het is puur toeval dat ik dit in het gat in mijn band heb gevonden?' zei mijnheer Green. Hij hield een paarse balpen omhoog, dezelfde als die ik altijd gebruikte.

'U denkt dus dat iemand uw band kapot heeft gestoken met een plastic balpen?' zei ik. Alsof zoiets mogelijk was. Een autoband kapot proberen te steken met een balpen was hetzelfde als door staal proberen te prikken met een haarspeld.

'Ik denk dat iemand me iets duidelijk probeerde te maken,' zei mijnheer Green.

'Denkt u dat ik achterlijk ben of zo?' zei ik. Ik kon me niet meer bedwingen. 'Denkt u nu echt dat als ik uw band kapot wilde steken, ik iets in het gat zou steken dat mij verdacht maakte?'

'Goeie vraag,' merkte Levesque op. Hij had zich in zijn stoel genesteld en bleef ergerlijk kalm. Een beetje verontwaardiging zou fijn zijn geweest.

'Luister, mijnheer Levesque,' begon mijnheer Green.

'*Hoofdcommissaris* Levesque,' zei Levesque. Dat verbaasde me. Normaal stond hij alleen op zijn strepen als hij aan het werk was. 'Ik heb begrepen dat u in Elder Bay woont, mijnheer Green.' Dat was nieuw voor me. Levesque had blijkbaar zijn huiswerk gemaakt. 'Dus ik kan niet van u verwachten dat u dat weet, maar ik ben de hoofdcommissaris van de politie, hier in East Hastings.' Hij zei dit langs zijn neus weg, maar hij keek mijnheer Green doordringender aan dan iemand die alleen over koetjes en kalfjes zit te praten.

Er verscheen een rode vlek in mijnheer Greens nek. Goed zo.

'Het zou niet de eerste keer zijn dat het kind van een hoofd-commissaris in de problemen komt,' zei mijnheer Green. 'Hebt u er al eens bij stilgestaan dat het gedrag van uw dochter in mijn klas wel eens haar manier van rebelleren zou kunnen zijn tegen u als autoritair figuur?'

Levesque leek even over die vraag na te denken. Toen zei hij: 'Nee, eigenlijk niet, nee.'

'Wel, dan zou u dat misschien eens moeten doen,' zei mijnheer Green. 'Ik ben afgestudeerd in psychologie, mijnheer... hoofd-commissaris Levesque. Kinderpsychologie. Het is door die inte-resse dat ik voor de klas terecht ben gekomen.'

'Juist, ja,' zei Levesque. 'En hebt u Chloe uw autoband kapot zien steken?'

'Nee, maar haar gedrag in mijn klas is van die aard...'

'Heeft iemand anders haar uw autoband kapot zien steken?'

Nu verspreidden de vlekken zich over heel zijn nek en stonden ze in slagorde om zijn gezicht te bestormen.'

'Voor zover ik weet niet, maar…'

'Hebt u rondgevraagd of iemand heeft gezien dat Chloe of iemand anders uw auto beschadigde?'

'Nee,' zei mijnheer Green. Hij begon boos te klinken.

'Louis, ik heb je erbij gevraagd omdat mijnheer Green zich zorgen maakt over zijn relatie met Chloe,' zei juffrouw Jeffries.

'Oh,' zei Levesque. Hij klonk ijzig kalm. 'Ik dacht dat je me erbij had gevraagd omdat mijnheer Green Chloe ervan beschuldigt een van zijn autobanden kapot te hebben gestoken.'

'Dat klopt,' zei mijnheer Green.

'Niemand beschuldigt iemand ergens van,' zei ze. 'We proberen gewoon wat meer zicht te krijgen op een probleem tussen een leraar en een leerling.'

'Ze heeft vandaag in de les mijn autoriteit betwist.'

Dat was klinkklare onzin. Het werd heel duidelijk dat mijnheer Green gewoon een hekel aan me had.

'U beschuldigde me bijna van plagiaat!' zei ik.

Vanuit mijn ooghoeken zag ik Levesque op zijn stoel schuiven.

'Niet alles tegelijk,' stelde hij voor. 'Dus: staat uw auto op het parkeerterrein links van de school of gebruikt u een speciale parkeerplaats buiten de school?' Hij was overgeschakeld op zijn zachte 'terzake'-stem, de stem waar je automatisch heel aandachtig naar luisterde om niks te missen.

'Hij staat op het parkeerterrein van de school.'

'Als ik me niet vergis, staan er op dat parkeerterrein ongeveer honderdvijftig auto's en is het meestal vol.' Levesque keek naar juffrouw Jeffries, die knikte. 'En als ik me niet vergis, gebruiken de leerlingen dat parkeerterrein als binnenweg van en naar school en van en naar de schoolbus.' Opnieuw knikte juffrouw Jeffries. 'Dus kunnen we stellen dat bijna elke leerling en leraar van dit gebouw minstens een keer per dag over dat parkeerterrein loopt. Dat zijn ongeveer veertienhonderd mensen, mijnheer Green. Dat zijn heel veel mensen die bij uw auto kunnen.'

'Ik heb met niemand op deze school zoveel problemen als met uw dochter.'

'Er zijn een paar dingen die u moet weten over Chloe,' zei Levesque. 'Ten eerste: Chloe spiekt niet. Ten tweede: u hebt gelijk, ze heeft de neiging gezag op de proef te stellen. Maar ik heb ondervonden dat ze dat alleen doet als dat gezag wordt misbruikt. Ten derde: ze geeft haar mening, of die haar wordt gevraagd of niet. Als ze een probleem met u heeft, zegt ze u dat op de man af. Ze is niet achterbaks. En ten slotte: mijn dochter kan veel zijn, maar dom is ze niet.'

Nu spitste ik mijn oren. Technisch gesproken was ik zijn dochter niet. Hij was mijn stiefvader, maar hij had me niet geadopteerd of zo. Ik probeerde me te herinneren wanneer hij mij nog zijn dochter had genoemd en ik kon me geen enkele keer voor de geest halen.

'Als ze ooit zo dom zou zijn om een auto te beschadigen,' ging hij verder, 'mag u er zeker van zijn dat ze dan geen naamkaartje zou achterlaten. Nu, als u de politie van East Hastings officieel op de hoogte wilt brengen, zal ik een agent naar uw auto komen laten kijken. Ik zal ook iemand op onderzoek uitsturen, als u dat wenst. Maar ik zie niet in wat we nog zouden kunnen doen, voor-al omdat er is geprutst met het belangrijkste bewijsmateriaal.' Hij knikte naar de paarse pen in mijnheer Greens hand. Toen stond hij op.

'Ik weet niet wat we hier mee zijn opgeschoten, Alice,' zei hij tegen juffrouw Jeffries, 'maar toch bedankt voor het signaleren van het probleem.'

'Bedankt voor je komst, Louis,' zei ze. Ze zag er even uitge-wrongen uit als een gastvrouw die haar elegante cocktailparty heeft zien ontaarden in een braspartij.

Levesque en ik liepen samen naar het parkeerterrein. Er ston-den nog maar een paar auto's. Eentje had een platte achterband aan de kant van de chauffeur. Levesque liep ernaartoe. Hij bukte zich en bestudeerde de band, maar raakte niks aan. Toen stond hij weer op en liep terug naar de school. Hij leek niet eens verbaasd toen hij zag dat mijnheer Green hem achter een raam stond aan te staren.

'Kom,' zei Levesque. 'Ik breng je naar huis.'

Ik knikte en wilde mijn boekentas op de achterbank van de politieauto zetten.

'Hé!' zei Levesque. 'Voorzichtig. Er staat een afdruk op de achterbank.

'Een wat?' Ik keek naar de achterbank en zag er een grote kartonnen doos op staan. Er zat iets wits in.

'Een voetafdruk,' zei Levesque. 'Van de inbraak bij het meer.'

Ik knielde op de voorbank en ging over de rugleuning hangen om de afdruk van dichterbij te bekijken. Er zat inderdaad een witte plaat in de doos.

'Wat ga je daarmee doen?' vroeg ik. 'Gaan jij en Steven elk paar laarzen en schoenen in de stad controleren?'

'Gymschoenen.'

Ik keek nog eens.

'Oké, gymschoenen.'

'Nikes.'

Ik keek nog eens, maar zag niks dat op Nikes wees. 'Hoe weet je dat?'

'Ervaring.'

'Weet je wel hoeveel mensen er met Nikes rondlopen, in mijn school alleen al?' zei ik.

'Daar kan ik me wel iets bij voorstellen, ja.' Hij draaide aan de contactsleutel. 'Weet je, die leraar van je is niet de kwaadste, hoor.'

'Oh, tof, bedankt,' zei ik. 'Ga je hem nog een beetje verdedigen ook.'

'Ik zeg alleen dat hij nog wat groen achter de oren is.'

'Ja, maar van een beetje meer gevoel voor rechtvaardigheid

zou hij ook niet doodgaan,' zei ik.

Levesque lachte. 'Dat krijg je nu juist met ervaring.'

'Het lijkt wel één megaclub, hè,' zei ik.

'Wat?'

'Volwassenen onder elkaar. Je hebt me daarbinnen dan wel verdedigd, maar nu we buiten zijn, kom je weer op voor je ploegmaatje. Jullie willen en kunnen niet verdragen dat kinderen de verdeeldheid in de rangen zien. Het lijkt wel of jullie bang zijn dat als we een van jullie niet respecteren, we niemand meer respecteren.'

Hij legde zijn arm over de rugleuning van zijn bank en draaide zich om om achteruit te rijden.

'Wind je niet zo op, Chloe,' zei hij. 'Ik zeg gewoon dat sommige mensen wat meer ervaring zouden kunnen gebruiken om met dit soort situaties om te gaan. Dat is alles.'

Sommige mensen?

Toen we van het parkeerterrein reden, kwamen we Daria Dattillo en Rick Antonio tegen. Mijn relatieradar had blijkbaar slecht gewerkt, want Daria en Rick leken iets met elkaar te hebben, wat me nog nooit was opgevallen. Dat was de enige verklaring voor het feit dat Ricks arm losjes rond Daria's schouder hing. Daria draaide zich om en keek me recht in de ogen toen we elkaar kruisten. Ik ben er zeker van dat ze glimlachte. En ik ben er even zeker van dat het geen vriendelijke glimlach was.

4

In een gesloten gemeenschap weet iedereen alles meteen. Toen ik de volgende morgen op school kwam, wist iedereen wat er met mijnheer Greens auto was gebeurd. Een heleboel mensen feliciteerden me. Ik vroeg aan iedereen of ze het hadden zien gebeuren. Nee, niemand had iets gezien – tenminste, niemand liet iets los.

'Ik wou dat ik er zelf op was gekomen,' zei Dean Abbott. 'Die vent is een echte zeikerd.'

'Als de goeien iets fout doen, doen ze het goed fout,' zei Rick. Hij was een van die mensen die helemaal niet grappig zijn, maar zichzelf hilarisch vinden. Hij lachte. De enige die mee lachte, was zijn kleedkamermaatje, Brad.

Sarah Moran keek me aan alsof ze op een stuk moddertaart stond te kauwen of afkeurde wat ik zogezegd had gedaan.

Eerst zei ik nog dat ik onschuldig was, maar na een tijdje gaf ik het op. Ze geloofden me toch niet. Ik grijnsde en hield mijn mond.

Jammer genoeg stond ik net weer te grijnzen omdat Morgan Hicks me uitgebreid had gefeliciteerd met mijn stunt, toen mijnheer Green voorbijkwam. Dat zag er niet goed uit, maar het kon me niet meer schelen. Ik had niks misdaan. Ik begon te denken dat ik die woorden misschien maar op mijn voorhoofd moest laten tatoeëren.

Tussen het eerste en tweede lesuur van de dag, zag ik Steve Denby richting secretariaat lopen. Blijkbaar was het een rustige dag op het politiebureau. Of misschien vond Levesque het beter om Steve de zaak te laten onderzoeken. Het zou niet in goede aarde vallen als de hoofdcommissaris een misstap van zijn stiefdochter weg probeerde te moffelen. Toen ik in de lunchpauze mijn boeken in mijn kastje ging leggen voor ik naar Ralph's vertrok, zag ik Steve opnieuw. Hij hing rond in de gangen en sprak groepjes leerlingen aan. Hij zag er ontspannen uit. Ik vroeg me af hoe lang hij al was afgestudeerd. Ik vroeg me ook af of hij iets te weten zou komen over de beschadiging van mijnheer Greens auto. En of hij, als hij iets wist, daar tegen mij iets over zou loslaten. Toen zag ik Davis naar hem toe lopen, met een blocnote en balpen in de hand. Ik keek van een afstand toe hoe Davis zijn zonnebril afzette en begon te praten. Hij leek Steve te ondervragen, niet andersom. Wat had dat allemaal te betekenen?

Toen ik de school uitliep, dacht ik aan wat er allemaal was gebeurd. Iedereen kon die autoband van mijnheer Green kapot hebben gestoken – om zoveel redenen. Niemand was op hem gesteld. Maar de paarse pen in combinatie met de spiekbrief die mijnheer Green onder mijn tafel had gevonden, ook met paarse inkt geschreven, deed het voorkomen alsof ik er iets mee te maken had. Maar waarom? Waarom probeerde iemand me verdacht te maken bij mijnheer Green? En nog belangrijker, wie deed dat? Vervelend genoeg kwamen er verschillende mensen in aanmerking... Daria, Rick, Sarah, Davis... en dat waren nog maar degenen met wie ik onlangs in aanvaring was gekomen. Dat was echt balen, ik had zo'n lange lijst met potentiële vijanden, dat ik niet wist waar te beginnen.

Ik slenterde de straat in en de hoek om naar een restaurant dat zat geprangd tussen een winkel met sportartikelen en een Body Shop. Misschien is restaurant niet het beste woord om Ralph's te beschrijven. Als ik aan een restaurant denk, denk ik meestal aan voedsel in plaats van, wat zal ik zeggen, flipperkasten, videospelletjes en biljarttafels. Niet dat je bij Ralph's niks kon eten. Op het menu stonden hamburgers (Ralphbugers, cheeseburgers, Canuck burgers met achterham en kaas en natuurlijk de deluxe dubbele Ralphburger), hotdogs (Ralphdogs, chilidogs en Canuck dogs met achterham en kaas), pizza's, friet (met extra saus), milkshakes, frisdrank en een heel uitgebreid assortiment voorverpakte snacks – frieten, varkenszwoerden (wie eet zoiets?), kaaskoekjes, gebakjes, taartjes, cakejes en chocoladerepen. Maar het, *ahum*, restaurantgedeelte moest toch onderdoen voor het recreatiegedeelte. Daar stonden een televisie met groot scherm, afgestemd op de sportzender, achterin twee biljarttafels en tegen een muur drie flipperkasten en een zestal videospelletjesconsoles.

Ralph's cliëntèle bestond, althans op dit uur van de dag, uit de voltallige voetbalploeg van de school en zijn vrouwelijke aanhang. Ik had gehoord dat er 's avonds een heel ander publiek naar Ralph's afzakte – kerels die meer tijd met hun auto dan met hun vriendin doorbrachten, kerels die graag op jacht gingen, bier dronken en een spelletje biljart speelden terwijl ze met een half oog de hockey- of baseball- of voetbalwedstrijd op tv volgden. Ik had ook gehoord dat er louche figuren in Ralph's rondhingen. Van die mensen – kerels – die voor een paar honderd dollar aan parkeerboetes schuldig waren en Levesque dwongen om hen een 'bezoekje te gaan brengen.' Ook mensen - kerels - die op de vuist gingen voor weddenschappen over sportuitslagen. En mensen – misschien kerels, misschien niet – die illegale handeltjes opzetten. Overal waar je komt, heb je van die types.

Brad Hudson was de eerste die me in de gaten kreeg. Hij knikte naar Rick, die tegenover hem aan tafel zat en met zijn vingers frieten met saus zat te bunkeren. Daria had zich naast hem genesteld. Ze draaide zich om en keek me recht in de ogen, met opgeheven hoofd, alsof ze wilde zeggen: *ik hoef me nergens voor te schamen*. Nou, en? Kon mij het schelen.

Ik kan niet zeggen dat ik me op deze opdracht verheugde. Maar ik was nu hier en ik was niet van plan om me te laten ontmoedigen omdat ik hier toevallig geen vrienden had. In plaats daarvan haalde ik eens diep adem, zette ik nog een krijtstreepje in de kolom 'Redenen waarom ik Davis Kaye haat' op mijn persoonlijke scorebord en diepte ik een blocnote en pen op uit mijn handtas.

Drie tafeltjes waren ingepalmd door jongens van school. Ik had er eentje uit kunnen kiezen waar Rick, Brad en Daria niet aan zaten. Maar wat zou dat voor zin hebben gehad? Dit was een 'Eet-Je-Spruitjes-Op-Moment' – ik zou niet van tafel mogen tot die vieze groene balletjes van mijn bord waren. Ik zou Ralph's niet uit komen voor Rick me had gejend. Hoe kon hij daaraan weerstaan? Hij zat hier, omringd door zijn idolate fans en ik stond daar, opgezadeld met die debiele opdracht. Of nee, die ongelooflijk debiele opdracht. Davis had gelijk. Dit had niks met journalistiek te maken.

Ik liep langs de twee eerste tafeltjes en bleef staan bij dat van Rick.

'Hé, Rick,' zei Brad, 'droom ik nu of begint het hier opeens te vriezen?'

Rick keek me aan. Eigenlijk keek hij naar de voorkant van mijn sweater, waardoor ik me zijn poging om 'een beetje fun te maken' na het concert herinnerde.

'Ach ja, ik heb iets om me warm te houden,' zei hij. Hij sloeg zijn arm om Daria heen en trok haar dicht tegen zich aan. Zij bleef naar de tafel kijken. Toen ik ze daar zo zag zitten, vroeg ik me af of zij met z'n tweeën me er misschien in hadden geluisd.

'Zeg, jongens,' zei ik. 'Ik ben hier om een exclusief artikel voor de *Herald* te schrijven – over het nieuwe menu van de schoolcafetaria.' Ik had gekozen voor de 'Ja, Ik Weet Dat Het Belachelijk Is'-aanpak. Als ik dat toegaf, haalde ik de lont meteen uit het kruitvat, want zonder gedonder zou ik hier sowieso niet wegkomen. 'Ik kan me vergissen, hoor, maar zaten jullie tot Kerstmis niet altijd in de verste hoek van de cafetaria tijdens de lunch?' zei ik. 'Het lijkt erop of jullie daar niet meer komen sinds het 'Eet Slim'-menu is ingevoerd.'

"Eet Schijt'-menu, zul je bedoelen,' zei Brad. De hele tafel, behalve Daria, begon te lachen bij deze verwijzing naar de drie-bonen-slaatjes en bonenburrito's die nu op het cafetariamenu prijkten. Ik schreef zijn opmerking op. Ik draaide me naar Rick. Aan zijn minachtende blik te zien, zou je denken dat ik hem op mijn knieën zat te smeken om me nog eens uit te vragen.

'Wat vind jij van het nieuwe 'Eet Slim'-menu?' vroeg ik hem.

Rick schudde zijn hoofd. 'En ik die dacht dat jij zo geniaal was,' zei hij. 'Wat denk je, als je dit ziet?' Hij wees met zijn hand de zaal rond. Toen zei hij: 'Maar wacht eens even, jij bent hele-maal geen genie, hè, want jij hebt gespiekt voor je geschiedenis-test.'

En mijn lieve vrienden hebben me daar een handje bij gehol-pen, dacht ik. Ik wees naar de restjes friet en saus op zijn bord.

'Vraag je je niet af wat er in je lichaam terechtkomt?' vroeg ik. Niet dat het mij wat kon schelen. Als hij zijn lichaam vol wilde stou-wen met dynamiet en de lont aansteken, ging hij zijn gang maar.

'Ik heb mijn dagelijkse portie proteïnen nodig,' zei hij. 'Ik ben een atleet.'

'Als de school het nieuwe menu overboord gooide, zou je dan weer naar de cafetaria komen?' vroeg ik.

Hij haalde zijn schouders op. 'Als de school het nieuwe menu overboord gooit en een biljarttafel in de cafetaria zet, zal ik er nog eens over nadenken.'

Dit werd begroet door goedkeurend gegrom van de rest van de voetbalploeg. Ik schreef het op – geluidseffecten zouden dat duffe artikel misschien een beetje opfleuren. Toen keek ik naar Daria's bord, waar een bijna onaangeroerd supervet stuk pizza pepperoni op lag.

'En jij?' vroeg ik. 'Vind jij het eten hier lekker?'

'Ze zit hier niet voor het eten,' zei Rick en hij sloeg zijn arm weer om haar schouder.

Ik negeerde hem.

'Valt wel mee,' zei ze. Ze keek me niet aan. Ze kreeg het niet over haar hart om me aan te kijken. Ik wilde haar eens goed door elkaar schudden. Ik had haar niks misdaan – in ieder geval niks dat ze niet eerst zichzelf had aangedaan.

Ik schuifelde naar het volgende tafeltje om nog een paar meningen bij elkaar te sprokkelen. Ik hoorde de deur achter me open en dicht zwaaien en iemand stoof langs me heen en liep naar achteren waar de biljarttafels stonden. Het was Davis. Hij stond een ogenblik in het lege zaaltje achterin, draaide zich toen om en haastte zich weer naar de deur. Hij keek me aan, maar zei niets. Ik denk dat hij toch maar liever geen voet meer in deze keet zette.

Voor de lessen opnieuw begonnen, liep ik nog even de redactiekamer binnen.

'Waarom heb je het artikel over de kapot gestoken autoband aan Davis gegeven?' vroeg ik aan Ross. Ik vond het niet eerlijk. Davis had geweigerd om over de cafetaria te schrijven, waar ik nu mee zat opgezadeld en had dan ook nog eens een veel interessantere opdracht gekregen.

'Dat heb ik niet gedaan,' zei Ross. 'Hij heeft ontslag genomen, weet je nog wel?'

'Maar hij is ermee bezig, ik heb het gezien. Hij stond met Steve Denby te praten.'

'Niet voor deze krant,' zei Ross.

Eric Moore keek op van zijn computer. 'Ik denk dat hij ermee bezig is voor de *Beacon*,' zei hij.

'Werkt Davis voor de *Beacon*?'

Eric knikte. 'Ik was daar om mijn column af te leveren toen hij binnenkwam om met mijnheer Torelli te praten.' Mijnheer Torelli was de eigenaar, uitgever, hoofdredacteur, sales manager en reporter van de *Beacon*. Ik denk dat hij zelfs de belangrijkste krantenjongen van de *Beacon* was. 'Hij heeft zichzelf daar prima verkocht.'

'Echt waar?'

'Hij zei dat de meeste ouders er geen idee van hebben wat er allemaal gebeurt op de plaats waar hun kinderen het grootste deel van hun tijd doorbrengen. Hij zei dat het *Beacon*publiek wel in zou zijn voor een column over de school, evenementen op school en problemen op school. Hij liet mijnheer Torelli een paar artikels zien die hij voor zijn schoolkrant in Toronto had geschreven en hup, mijnheer Torelli heeft hem meteen aangeworven.'

Ik hoorde een kletsend geluid. Het was de hand van Ross die op het voorhoofd van Ross mepte. 'Waarom ben ik daar niet opgekomen?' zei hij.

Zelfs ik moest toegeven dat het een goed idee was. Natuurlijk zei ik dat niet tegen Davis toen ik hem op weg naar huis tegen het lijf liep. Trouwens, eigenlijk liep hij mij tegen het lijf. Ik liep net het schoolplein af toen ik iemand mijn naam hoorde roepen. Ik draaide me om en zag Davis naar me toe rennen. Achter hem stond Sarah Morgan hem na te staren. Onze blikken kruisten elkaar. Toen keek ze weer naar Davis. Ik had Cupido niet nodig om me te vertellen dat Sarah meer dan gewone interesse voor Davis had. Gut, was de hele wereld verliefd geworden terwijl ik even niet keek?

'Ik moet met je praten,' zei Davis met een blocnote in zijn hand.

'Waarover?'

'Is het waar dat jij de autoband van mijnheer Green kapot hebt gestoken?'

Dat bevalt me wel – een journalist die meteen ter zake komt.

'Denk je nu echt dat ik je dat zou vertellen als ik het had gedaan?' zei ik.

Hij noteerde mijn antwoord.

'Dit is geen officieel antwoord, Davis,' zei ik.

'Alle antwoorden zijn officieel.'

'Oké. Dan zeg ik niks meer.'

'Sommige mensen hebben je die dag op het parkeerterrein gezien,' zei hij.

'Nou, en? Ik kom elke dag op het parkeerterrein. De hele school komt daar elke dag. Waarom vraag je me niet wie *ik* op het parkeerterrein heb gezien?'

'En die paarse pen dan?'

'Wat is daarmee?'

'Jij schrijft met een paarse pen. Zelfde merk, heb ik gehoord.'

'Hetzelfde merk als het merk dat je in tien winkels uit de buurt kunt kopen.'

'Mijnheer Green heeft het niet op jou begrepen.'

Ik moest op mijn tong bijten om hem niet toe te bijten dat dat gevoel wederkerig was.

'Ik heb vandaag met een heleboel mensen gesproken die zeiden dat je niet had ontkend dat je het had gedaan.'

'Ik heb eigenlijk helemaal geen zin om hierover te praten, Davis.'

'Je weigert dus te antwoorden?'

'Ik weiger te antwoorden,' bevestigde ik. En toen zei ik, omdat hij zo ergerlijk was: 'Je hebt het nu wel helemaal voor mekaar, hè, Davis? Ontslag nemen bij de *Herald* om naar de *Beacon* te gaan voor het betere werk? Het ziet ernaar uit dat al je ervaring uit de grote stad toch nog gaat opbrengen.'

Hij bleef naar me glimlachen, maar zijn ogen werden koud.

'Jij weet niet waarover je het hebt,' zei hij. 'Misschien ben ik iets heel belangrijks op het spoor. Misschien kom ik hiermee in aanmerking voor een prijs.'

Net waar de wereld op zat te wachten – nog een prijs voor Davis.

'Dat hoor ik dan wel, hè,' zei ik.

Hij klapte zijn blocnote dicht. 'Mocht het je interesseren,' zei hij. 'Ik vind mijnheer Green ook een zeikerd. Voor elke keer dat je hem op stang jaagt, stijg je een beetje in mijn achting. Heel veel mensen hebben precies hetzelfde gezegd.'

'Goh, bedankt, Davis,' zei ik. Sarcastisch. 'Je hebt geen idee wat dat voor me betekent.'

Ik ging alleen naar huis en nam de langste weg, door de zuidelijke hoek van het Provinciaal domein van East Hastings. Ik had een rotweek achter de rug en ik had een rothumeur, ook al was het weekend begonnen. Als ik in een rothumeur ben, helpt wandelen. Vooral als ik kan wandelen waar ik niemand anders tegenkom, waar ik mijn gedachten de vrije loop kan laten, waar ik vogelgezang hoor in plaats van autogetoeter en ceder- en dennenhout ruik in plaats van uitlaatgassen. Ik stak Lodge Lake Road over, liet de laatste huizen van East Hastings achter me en wandelde naar Sideroad die door de zuidelijke punt van het park loopt. Het was vredig op de modderige grindweg. Dat was logisch, want het was nog maar april. Buiten het seizoen vond je er bijna geen enkele bungaloweigenaar. De meesten zouden pas hierheen afzakken vanaf eind mei, wat betekende dat er nu bijna geen verkeer was.

Ik vertraagde toen ik bij de ingang van het park kwam. Aan de linkerkant was er een geplaveide strook waar auto's even konden stoppen. In de zomer zette het parkpersoneel picknicktafels en vuilnisbakken buiten. Aan de uiterste kant van de parkeerstrook stond een telefooncel. Aan de kant van de straat stond een auto geparkeerd. Er stond een man in de telefooncel. Met zijn ene hand hield hij de hoorn vast en met zijn andere kliefde hij de lucht voor hem heftig in stukken. Ik hoorde het geblaf van zijn stem, maar verstond niet wat hij zei. Ik was blij dat ik niet aan de andere kant van de lijn stond, want zijn gesprekspartner kreeg de volle laag.

De man draaide zijn hoofd toen ik dichterbij kwam. Hij keek me dreigend aan, alsof ik zijn privacy schond. Maar van mij hoefde hij geen begrip te verwachten. Als je echt alleen wilt zijn, moet je maar niet op een openbare plaats gaan staan, dacht ik. Maar toch versnelde ik mijn pas. Ik blijf niet graag rondhangen waar ik niet gewenst ben. Ik had het gevoel dat die kerel me met zijn ogen bleef volgen, maar het was waarschijnlijk niet meer dan dat – een gevoel. Ik vertraagde een beetje toen ik langs zijn auto kwam. Mooi ding, dacht ik. Het was een crèmekleurige Jaguar met - wauw! - crèmekleurige bekleding die eruitzag als echt leer. Hij was ook tot in de puntjes verzorgd. Er was geen spatje of krasje op te bespeuren. Hmmm, in een houdertje naast de autoradio zat een mobieltje. Ik vroeg me af waarom mijnheer Privacy de telefoon in zijn auto niet gewoon gebruikte. Ik draaide me om om nog eens naar hem te kijken. Grove vergissing.

Het was niet gewoon een gevoel geweest. Die man was me wel degelijk blijven nakijken. Toen ik me omdraaide, smeet hij de hoorn op de haak en zwaaide hij de deur van de telefooncel driftig open. Hij schoot die telefooncel uit als een uitgehongerde beer die na zijn winterslaap zijn hol uitstormt. Gut, wat dacht hij dat ik van plan was? Zijn auto stelen terwijl hij erbij stond te kijken?

'Hé,' bulderde hij. 'Hé, jij daar, maak dat je daar wegkomt!'

Ik geef toe dat ik 'em een beetje kneep. Ik stond daar op een afgelegen plek en opeens komt er een geflipte vreemdeling op me toegestormd. Ik gooide beide handen in de lucht – kijk, ik ben ongevaarlijk, help, ik ben *in gevaar.* Toen was er een klik in mijn hersenen. Ik stond hier ver van de bewoonde wereld of tenminste ver genoeg en een geschifte vreemdeling kwam op me toegestormd. Misschien was laten zien hoe hulpeloos ik was, niet zo'n slim idee.

Ik sprong over de gracht langs de kant van de weg en liep het park in. Liep? Ik rende. *Spurtte.* Ik wist welke kant ik opging – ongeveer, in ieder geval. Als ik rechtdoor bleef rennen, zou ik op een van de paden in het park uitkomen. En dat gebeurde ook. Pas toen gluurde ik over mijn schouder. Niemand had me gevolgd. Ik bleef op het pad tot ik aan de oostrand van het park kwam en zocht toen voorzichtig Sideroad weer op. Daar was er geen spoor van de man of zijn Jaguar. Toch wandelde ik een beetje sneller dan anders naar huis en was ik blijer dan anders dat ik er was. Wat een week!

Levesque kwam net thuis toen ik de borden van het avondeten in de vaatwasmachine stopte. Phoebe en ik hadden een van onze lievelingsgerechten klaargemaakt, champignonroomsoep met broodjes kaas onder de gril. Ik bood aan om ook een broodje voor hem klaar te maken. Dat wilde hij wel. Terwijl ik stond te koken, vroeg ik hem of Steve nog iets te weten was gekomen over de auto van mijnheer Green. Hij schudde zijn hoofd.

'Het is een grote school met veel verkeer,' zei hij. 'Voor zover ik weet, is er nog geen nuttige informatie boven water gekomen.'

'Nog niet? Hoeveel tijd heeft hij hiervoor gekregen?'

Levesque rolde met zijn brede schouders. 'Mijnheer Green heeft een klacht ingediend. We moeten de zaak verder onderzoeken. Zeker in deze omstandigheden.'

Die omstandigheden, wist ik, dat was ik.

'Je weet toch dat ik het niet heb gedaan,' zei ik.

Hij slikte een hap van het broodje door en reikte naar zijn glas melk. 'Maar iemand heeft het gedaan,' zei hij.

5

Sommige weekends – regenachtige weekends, koude weekends, grijze novemberweekends – zijn gemaakt om er eens flink voor te gaan zitten, in een stapel boeken te duiken, opzoekwerk te doen en een werkstuk te schrijven. Dit was niet zo'n weekend. Ik vond het een kwelling om me op zaterdagmiddag in de openbare bibliotheek op te sluiten. Het feit dat ik de enige in de hele stad leek die zijn huiswerk moest maken en de enige van mijn klas die op zijn werkstuk voor geschiedenis zat te zwoegen, maakte het er niet makkelijker op. Ik zat bij het grote raam aan de voorkant aantekeningen te maken uit een half dozijn boeken, toen ik Ross voorbij zag slenteren met zijn zusje. Ze had haar scoutsuniform aan, dus bracht hij haar blijkbaar naar of had hij haar opgehaald van een scoutbijeenkomst. Rond de middag zag ik Dean Abbott en Morgan Hicks fris gewassen en met schone kleren voorbij komen en een paar uur later weer vol vuile vlekken en met modderschoenen voorbij sloffen. Waarschijnlijk net een voetbalmatch gespeeld. Davis stoof een paar keer heen en weer. Een keer zag ik hem binnengaan op de redactie van de *Beacon*. Een andere keer kwam hij naar buiten met een zak van Grootmoeders Keuken en stond hij te praten met een jongen die ik niet herkende. Ze discussieerden over iets en bleven praten terwijl de jongen de leiband losmaakte van een grote zwarte hond die op het trottoir lag.

De hond droeg een muilkorf, wat ik een slecht teken vond, maar Davis blijkbaar niet. Hij stak zijn hand uit naar het dier om het te aaien, maar de hond haalde naar hem uit. Davis sprong achteruit als een Olympische verspringer die wordt teruggespoeld en met zijn hand hoog boven zijn hoofd. Ik had de indruk dat Davis in zijn leven nog niet veel honden was tegengekomen. Iedereen die iets van honden kent, weet dat je een dier dat je niet kent niet aanraakt en zeker geen dier dat er gemeen uitziet. Vooral als de eigenaar het nodig vindt om het een muilkorf om te doen. Later, toen ik mijn spullen bij elkaar raapte om naar huis te gaan, kwam Davis weer voorbij geslenterd, deze keer met Sarah Moran. Haar hoofd was naar hem gedraaid. Hij was blijkbaar constant aan het woord. Zij leek aan zijn lippen te hangen. Misschien was hij haar zijn scenario helemaal uit de doeken aan het doen.

Zelfs Daria genoot van het warme lenteweer. Ik zag haar bij de drogist binnenwippen, toen bij Stedman en daarna in de Boekenhoek. Telkens als ze weer op het trottoir verscheen, droeg ze een andere zak. Later zag ik haar hand in hand lopen met Rick. Blijkbaar liep ze niet over van mensenkennis. Rick vond ze leuk, maar mij niet. Nou ja, niemand is perfect.

Terwijl heel East Hastings zich amuseerde, zat ik te werken. Maar ik was waarschijnlijk ook meer gemotiveerd dan de rest om dit werkstuk tot een goed einde te brengen. Het moest niet alleen goed worden, ik wilde het beste werkstuk van vijftienhonderd woorden schrijven dat mijnheer Green ooit had gelezen. En aangezien dit het eerste jaar was dat hij lesgaf en hij waarschijnlijk nog niet veel werkstukken van vijftienhonderd woorden had gelezen, wilde ik ook dat het het beste werkstuk zou zijn dat hij ooit zou lezen. Maar dat weerhield me er niet van om af en toe verlangend uit het raam te staren.

Zondag deed geen enkele poging om mijn werk te verlichten. Tegen de tijd dat ik wakker werd geschud door het gerinkel van de telefoon, was de zon al door de gordijnen van mijn slaapkamer gedrongen. Ik keek met half dichtgeknepen ogen op mijn klok – het was nog niet eens negen uur – en sloot ze weer. Maar ze floepten weer open. De geur van koffie en toast lokten me naar beneden. De koffiepot was bijna vol. Twee sneetjes toast stonden in het gelid in de ouderwetse toaster die we al hadden voor ik werd geboren. Levesque zat zijn veters te strikken.

'Ga je weg?' vroeg ik.

Hij knikte.

'Werk?'

'Weer een inbraak in een bungalow,' zei hij terwijl hij weer overeind ging zitten. 'Ik weet niet wanneer ik terug zal zijn.'

'Geen probleem,' zei ik.

Toen hij weg was, schonk ik mezelf een kop koffie in en maakte verse toast. Ik dacht aan alles wat ik zou kunnen doen op een zondag in april. Toen begon ik aan mijn werkstuk – voor een paar uur. Maar toen had ik er echt genoeg van.

'Waar ga je naartoe?' vroeg Phoebe.

'Uit.'

'Waar naartoe?'

Kleine zusjes kunnen heel erg irritant zijn, vooral als ze zich als je moeder beginnen te gedragen.

'Uit,' zei ik weer. 'Tot straks.'

Ik kan niet lang binnen zitten. Ik liep westwaarts, over de spoorweg, regelrecht naar het park. Toen we nog in Montreal woonden, had de natuur me nauwelijks geïnteresseerd, maar sinds we hierheen waren verhuisd, had ik ontdekt dat ik graag lange wandelingen maak en de bossen verken. Ik had ook een paar hele leuke plekjes ontdekt. Mijn lievelingsplek was een deel van het Provinciaal Domein dat het bestuur van het park de laatste jaren regelmatig een hartaanval had bezorgd, vooral sinds dat akelige ongeluk.

De plek heette Puzzle Rock. Het was een gigantisch stuk kalksteen dat uit het niets zes of zeven meter de hoogte in ging. Deze mastodont van een rots was zo gekloofd dat hij er van bovenaf bekeken uitzag alsof iemand een stuk rots had gepakt en het in duizend stukjes had laten vallen, zoals je een bord op een tegelvloer in scherven uiteen kunt laten spatten. De kloven waren even diep als de rots hoog was en kronkelden alle kanten op. Op sommige plaatsen waren ze maar vijftig tot twintig centimeter breed. Op andere plaatsen veel breder. Sommige kloven begonnen zo breed dat je er helemaal tussen kon, maar versmalden en versmalden tot ze opeens doodliepen. Andere baanden zich een weg, dwars door de gigantische kalksteenformatie. Het akelige ongeluk dat de parkwachters slapeloze nachten bezorgde, was dat van een jongetje dat in één van de kloven was gevallen en in coma was gevallen. Uiteindelijk had hij het gehaald, maar achteraf waren alle wandelpaden in het park omgelegd, zodat ze niet langer naar Puzzle Rock leidden. Op de plattegrondjes van het park die werden uitgedeeld aan de toeristen, was Puzzle Rock zelfs niet meer aangeduid. Ik had die plek alleen gevonden omdat Ross ze mij had laten zien. Maar toen ik ze zag, was het liefde op het eerste gezicht.

De top van de kalksteen was begroeid met grote oude ceders. Hoe ze erin slaagden om te groeien op rotsgrond, is me een raadsel. Maar dat deden ze. Je zag hun wortels aan de rand van de kloven diep in de kalksteen dringen. Het was een klein mirakel.

Ik werd steeds weer naar die plek toe gezogen. Op een dag kwam ik op het briljante idee om de kloven te verkennen. Ik liet me in een holte tussen twee stenen wanden zakken en bleef doorlopen tot de holte smaller en smaller werd. Uiteindelijk had ik moeten terugkeren. Ik dacht dat ik terugliep zoals ik was gekomen, maar dat was niet zo. Ik kwam in een ander doodlopend stuk terecht en toen in nog een en nog een. Toen raakte ik in paniek. Stel dat ik er niet meer uit zou komen? Stel dat het donker werd en ik hier nog steeds vast zou zitten? Stel dat niemand me zou vinden. Stel dat ik hier zou sterven!

Ik deed er ongeveer een uur over om de weg terug te vinden

en toen stond ik helemaal in het zweet, ook al was het helder en koud die dag. Ik haastte me zo snel als ik kon naar huis. Maar de volgende dag kwam ik terug. Deze keer klom ik tot op de top van de formatie en verkende ik hem van bovenaf. En toen deed ik mijn grote ontdekking. Ik weet niet hoe de natuur dit had kunnen plannen, dus moest het toeval zijn – nog een klein mirakel. Ik ontdekte dat als je het klovendoolhof aan de zuidkant in loopt en aan elke kruising met een andere kloof rechts blijft, je zonder problemen een kronkelpad tot aan de andere kant van het doolhof kunt volgen. Ik testte het uit en toen het bleek te werken, had ik het gevoel dat ik het mysterie van het universum had ontsluierd! Ik, een meisje van de stad! Ik kerfde aan de ingang een merkteken in de kalksteen, maar vertelde het aan niemand. Het was mijn geheim.

Die zondag liep ik ook naar Puzzle Rock. Toen ik daar aankwam, klom ik naar de top en ging ik zitten om van het uitzicht te genieten. Ik was er nog maar twintig rustige minuten, toen ik iemand hoorde vloeken. Ik keek in de richting waar dat indrukwekkende spervuur van lelijke woorden vandaan kwam. Een paar meter ten zuidoosten van Puzzle Rock, zag ik Davis staan. Hij bleef maar in rondjes lopen, zoals een langzaam draaiende tol. Hij vloekte weer. Ik overwoog of ik mezelf onzichtbaar zou maken, maar riep toen toch maar naar hem.

'Probleem?'

Hij tuurde naar omhoog met zijn hand boven zijn ogen.

Ik stond op, zodat hij me beter kon zien.

'Oh,' zei hij. 'Jij bent het.'

Zijn enthousiasme was overweldigend.

'Ook goed,' zei ik en ik verdween uit zijn gezichtsveld.

'Nee, wacht!' riep hij paniekerig.

Ik stapte weer in zijn gezichtsveld en wachtte.

'Ik ben verdwaald, nu goed? En wat dan nog?' zei hij. Hij deed het klinken alsof het mijn schuld was.

Ik wachtte nog steeds.

'Kun je me tenminste op weg helpen?' zei hij met die typische mannelijke gekwetste trots. Wat is dat toch met mannen en oriëntatie?

'Dat zou ik kunnen doen,' zei ik. 'Maar het hangt een beetje af van waar je naartoe wilt.'

'Ik wil eruit,' zei hij. 'Ik wil uit dit hol en terug naar de bewoonde wereld. Ik weet niet hoe iemand die een beetje bij zijn verstand is, het hier meer dan vijf minuten uithoudt zonder dood te gaan van verveling. Jullie hebben er geen idee van wat jullie missen.'

Juist. Alsof East Hastings Siberië was of zo. En trouwens, met het internet en satellietschotels en de technologie in het algemeen waren zelfs de mensen in Siberië prima op de hoogte van wat er in de rest van de wereld gebeurde. Het was heel verleidelijk om Davis naar het labyrint van kloven te leiden en hem zelf de uitgang te laten zoeken, zodat hij goed zou voelen wat hij had gemist.

'Loop zuidwaarts tot je een pad kruist,' zei ik. 'En dat volg je.'

Zijn gezicht werd één sullig vraagteken.

'Zuidwaarts,' herhaalde ik. 'Die kant op.' Ik wees.

Hij knikte. Toen bekeek hij zijn omgeving even van dichterbij.

'Wat is dit eigenlijk?' zei hij terwijl hij bij een kloof kwam. 'Leidt dit ergens naartoe?'

'Ja,' zei ik. 'Naar nog meer rondjes. Als je je daarin waagt, verdwaal je en kom je er nooit meer uit.'

De uitdrukking op zijn gezicht veranderde. Hij probeerde te beslissen of hij me moest geloven of niet.

'Toe maar,' zei ik. 'Ga er maar eens in en kijk hoe lang je erover doet om er weer uit te komen.'

Hij keerde de kloof de rug toe en begon omhoog te klimmen, naar waar ik zat.

'Wauw,' zei hij toen hij rondkeek.

Wauw, dacht ik. Nu heb ik alles gezien en gehoord. Mijnheer 'Ik-Ben-Zo-Cool-En-Van-De-Grote-Stad' leek oprecht onder de indruk van iets dat hij hier in dit godvergeten gat had gezien.

'Ik snap wat je bedoelt,' zei hij toen hij naar beneden keek.

'Ik moet gaan,' zei ik.

'Kun je daar echt in verdwalen?'

'Ja,' zei ik.

'Nu ga je me zeker vertellen dat jullie inboorlingen de weg hier blindelings terugvinden,' zei hij.

'Ik ben niet van hier, als je het nog niet wist,' zei ik. 'Ik ben een paar maanden geleden uit Montreal hierheen verhuisd.' Oké, het was al negen maanden geleden, wat eigenlijk een stuk meer is dan een paar.

Hij was allesbehalve onder de indruk.

'Dan heb je je snel aangepast,' zei hij.

'Ik stond open voor het leven hier.'

'En, kun je het?'

'Wat?'

'De weg blindelings terugvinden?' Hij knikte naar de dichtstbijzijnde kloof.

'En wat dan nog?'

Hij grinnikte alsof hij me te slim af was geweest.

'Yep,' zei hij. 'Een inboorling, dus.'

'Ik hoop dat je rechtdoor kunt lopen, Davis,' zei ik. 'Veel mensen denken dat ze dat kunnen, maar als ze tussen de bomen komen, waar alles op elkaar lijkt, ontdekken ze dat het niet zo simpel is. Als je niet recht naar het zuiden loopt, zelfs maar een fractietje afwijkt, kom je nooit bij het pad. En als je het pad niet vindt, ben je nog wel een tijdje zoet in het park.'

Ik klom weer naar beneden zoals ik was gekomen.

'Hé!' riep hij me na.

'Naar het zuiden,' zei ik en wees nog eens.

'Ik weet wat je denkt,' zei hij. 'Jij denkt 'stomme sukkel van de stad'. Gut, nog helderziend ook. 'Maar je hebt het mis, hoor.'

'Het interesseert me niet.' Nooit had ik meer gemeend wat ik zei.

'Ja, nou, geniet er maar van. Ik leer snel. Dit flik je me maar één keer.'

'*Bon voyage*,' riep ik en toen verdween ik zo snel als ik kon tussen de bomen. Hij zou het pad waarschijnlijk makkelijk vinden. Het was niet zo ver. Maar in de vijf minuten die hij erover zou doen om er te komen, zou hij toch even zweten. En dat zou hem deugd doen. Alhoewel. Levenslange opsluiting in een sauna zou Davis Kaye nog niet genoeg laten zweten om hem een beetje verteerbaar te maken.

Ik rook appeltaart toen ik de voordeur binnenliep. Appeltaart was het lievelingsdessert van Levesque. Daarom had Phoebe hem gebakken. Phoebe probeerde altijd te slijmen bij hem. Ze was vastbesloten om de perfecte dochter te zijn voor iemand die niet eens haar echte vader was. Maar als dat betekende dat we taart als dessert kregen, zou je mij niet horen klagen. Ik sprong zelfs even bij om haar met de rest van het avondeten te helpen. Levesque of geen Levesque, we moesten toch iets eten en ik had honger.

'Als we mama's stoofpotje van kip, champignons en rijst eens maakten,' zei ik.

Phoebe grinnikte. Ze legde een paar cd's op de speler en we werkten samen in de keuken. We maakten niet één keer ruzie. Net op het ogenblik dat de timer rinkelde, kwam Levesque thuis. Ik hoorde hem in de gang zijn schoenen uittrekken. Hij kwam snuffelend de keuken in. Toen zag hij de taart en zijn ogen lichtten op.

'Ik zou wel een heel paard op kunnen,' zei hij.

'Je zult genoegen moeten nemen met een kip,' zei ik.

Phoebe was druk bezig met tafeldekken. Ze haalde een paar zilveren kandelaars van mama uit de kast, zette ze in het midden van de tafel en stak de kaarsen aan.

'Het is zondag,' zei ze toen we haar verbaasd aankeken. 'Het zondagse maal moet iets extra's hebben.'

Toen we klein waren, wisten we nooit of we 's zondags aan tafel zouden zitten met mama of met de babysit. Voor mama Levesque ontmoette, had ze als serveerster gewerkt. Ze had lange werkdagen. Nadat ze Levesque had ontmoet en we nog in Montreal woonden, was hij er vaker niet dan wel voor het avondeten, of het nu een gewone weekdag of zondag was. Maar hier was alles anders. Hij werd soms nog steeds opeens weggeroepen. Maar om de een of andere reden zakte het misdaadcijfer, dat toch al niet bijster hoog lag, onder het nulpunt vanaf het moment dat 's zondags het gebraad uit de oven schoof. 's Zondags was Levesque er bijna altijd voor het avondeten en dan deed mama altijd klef en ontpopte Phoebe zich als meestertaartenbakster.

'En, hoe was je dag?' vroeg ik nadat ik het stoofpotje had opgediend en de salade had doorgegeven.

Hij haalde zijn schouders op. 'De mensen zouden hun bungalows wat grondiger moeten beveiligen voor ze in de winter naar het zuiden trokken,' zei hij. 'Zelfs een kleuter zou die sloten nog open krijgen.' Hij klonk verontwaardigd.

65

'Het is nog niet eens bungalowseizoen,' zei ik. De meeste bungalows in de buurt stonden midden in het bos of aan de rand van een meer. Je kon ze vanaf de weg niet zien. 'Hoe ben je achter die inbraken gekomen?'

Ik kreeg een diepe zucht als antwoord. 'Juist daarom zullen we de hele ronde moeten doen,' zei hij. 'Tot nu toe zijn er drie inbraken gerapporteerd. Maar er zouden er best nog kunnen zijn die nog niet zijn ontdekt. De eerste is opgemerkt door een man die met zijn hond aan het wandelen was. Hij zag dat er een hordeur openstond en is een kijkje gaan nemen. De tweede is gemeld door een groepje fietsers uit Toronto. Ze zagen een raam openstaan.'

'Waren ze in iemands tuin aan het fietsen?' vroeg Phoebe.

'Het fietspad doorkruist op sommige plaatsen privé-terrein,' zei Levesque. 'Met toestemming van de eigenaars. De bungalow zag er gesloten uit, maar ze zagen dat er een raam openstond.'

'Klinkt behoorlijk nonchalant,' zei ik. 'Ergens inbreken en gewoon een raam laten openstaan, zodat het meteen opvalt dat je hebt ingebroken.'

Levesque zei niks. Hij leek na te denken.

'En de derde?' vroeg ik uiteindelijk. Geen antwoord. 'Je zei toch dat er drie inbraken waren? Wat was die derde – een open deur of een open raam?' Nog steeds geen antwoord, wat maar één ding kon betekenen. 'Die inbraak was anders, hè?'

Nog steeds niks. Maar toen: 'De derde inbraak is ons gemeld door een man die in opdracht van de eigenaar de bungalow ging

66

opknappen voor het volgende seizoen,' zei hij. Het klonk meer alsof hij in zichzelf zat te praten dan dat hij mijn vraag beantwoordde. 'Het viel hem op dat er pas iemand in huis was geweest en hij had gehoord dat er andere inbraken waren geweest, dus nam hij contact met ons op.'

'Hoe wist hij dat?' zei ik.

'Hij zag een voetafdruk in de keuken.'

Ik probeerde me dat visueel voor te stellen en fronste mijn wenkbrauwen. 'Misschien hadden de eigenaars gewoon niet schoongemaakt voor ze vertrokken.'

Levesque schudde zijn hoofd. 'Het was een halve, modderige voetafdruk op de keukenvloer. Het feit dat hij nog nat was, betekende dat hij vers was.'

'Was er iets weggenomen?'

Opnieuw schudde hij zijn hoofd. 'Dat weten we niet zeker. De meeste mensen bewaren geen kostbare dingen in hun bungalows. Zelfs de televisies zijn oud. In twee van de bungalows stonden videorecorders, maar die waren niet duur en waren ongemoeid gelaten. Het was duidelijk dat de laden en kasten waren doorzocht. Ik heb met alle eigenaars gesproken. Ze zeiden allemaal hetzelfde – hun meest waardevolle bezit zijn hun boten en motors en in elk van de drie gevallen stonden die veilig achter slot en grendel en had niemand ze aangeraakt.

'Als de dieven niks kostbaars meenamen, waarom deden ze dan de moeite om in te breken?' vroeg Phoebe.

'Als ze niks hebben meegenomen, kun je het niet echt dieven noemen,' merkte ik op.

'Denk je dat ze op zoek waren naar iets?' zei Phoebe.

'Ik heb er geen flauw idee van,' zei Levesque. 'Is er nog wat van dat stoofpotje? Het is echt lekker.'

Ik kon het niet helpen. Ik was trots op mezelf.

6

De maandagochtendeditie van de *Beacon* lag op onze drempel toen ik
's morgens naar school vertrok. Ik raapte hem op en gooide hem in de
gang. Het was geen belangrijke krant, maar ik vond het heerlijk om
de wekelijkse plaatselijke misdaadrubriek te lezen. Het is niet bepaald
hoogstaande journalistiek, maar het is fun. Er waren een tijd geleden
een paar moorden gepleegd, maar meestal kende East Hastings bijna
geen criminaliteit – een paar vandalenstreken hier, een paar herrie-
schoppers of dronkaards daar, soms wat nachtelijk gekrakeel.

Ooit was er een winkeldiefstalepidemie geweest, of had
iemand drie drankautomaten vernield om er met het kleingeld
vandoor te gaan. Maar het was gewoon leuk om te lezen omdat
mijnheer Torelli het bracht alsof criminele meesterbreinen de
stad in handen probeerden te krijgen. Hij had een artikel ooit de
sappige titel 'Bende bedreigt vrede in het centrum' meegegeven,
maar als je het bewuste artikel las, bleek 'bende' een synoniem
voor 'groepje' te zijn in plaats van het equivalent van de straat-
bendes uit, pakweg Los Angeles of New York waar je wel eens
over leest. Met 'het centrum' bedoelde hij het kruispunt van
Dundas Street en Centre Street, waar een bank en een Canadian
Tire Store liggen. 'Vrede' betekent de verveling van het dorpsle-
ven die werd 'bedreigd' door een groepje tieners die de verveling
wilden tegengaan door een robbertje met elkaar te vechten. De

misdaadcolumn verscheen op maandag omdat de meeste straf-
rechterlijke feite op vrijdagavond en zaterdag werden gepleegd,
als de mensen tijd hadden om zich in de nesten te werken. Ik
denk dat mijnheer Torelli gelukkiger was geweest in een plaats als
New York, waar er meer en ernstiger misdaden worden gepleegd.

'Heb je de krant gezien?' vroeg Ross toen ik hem thuis ging
ophalen.

'Welke krant?'

'De *Beacon*.' Hij keek me veelbetekenend aan. 'Jij hebt toch
geen interview met Davis gehad, hè?'

'Hoe bedoel je? Of *ik hem* heb geïnterviewd?'

'Nee. Of hij jou heeft geïnterviewd.'

'Nee,' zei ik. 'Waarom zou ik...' Toen herinnerde ik me ons
gesprek van vrijdag. 'Niet echt.'

'Niet echt?'

Ik werd ongeduldig. 'Wat is er aan de hand, Ross?'

Hij draaide zich met zijn rug naar me toe. 'Hij zit in de voorste zak van mijn boekentas.'

'Wat?'

'De *Beacon*. Bladzijde vijf.'

Ik ritste de tas open, trok de krant eruit en bladerde naar bladzijde vijf.

Het was geen lang artikel – het was één van de drie onderwerpen uit het misdaadoverzicht van die week. Onder dit artikel
stond de naam van Davis Kaye.

EAST HASTINGS REGIONAL HIGH GETROFFEN DOOR VANDALISME

door Davis Kaye

De linkerachterband van de blauwe Toyota van interim leerkracht Allan Green werd afgelopen donderdag op het parkeerterrein van East Hastings Regional High kapot gestoken in wat de politie een vrijwillige daad van vandalisme noemt. De politie heeft een onderzoek ingesteld na een formele klacht van mijnheer Green, die vermoedt dat de schuldige een van zijn studenten is. Er werd gesignaleerd dat een student op de dag van het voorval werd gezien in de buurt van mijnheer Greens auto.

Ik stopte even met lezen en keek op naar Ross. 'Dit is toch belachelijk. *Een* student? Wat dacht je van *honderden* studenten? Is *dit* journalistiek?'

'Lees verder,' zei hij.

Een groot aantal studenten van East Hastings Regional High vertelden de Beacon dat het geen geheim is wie de band kapot heeft gestoken. De studenten hebben één van hen openlijk gefeliciteerd voor deze vandaalstreek. Toen een reporter van de Beacon de student, van wie we de naam niet kunnen noemen omdat hij of zij nog niet officieel in beschuldiging is gesteld, daarvan op de hoogte bracht, zei deze: 'Je hebt er geen idee van wat dat voor mij

betekent.'

Mijnheer Green, een inwoner van Elder Bay, vervangt

Gerald Lawry, die tien dagen geleden gewond raakte bij

een auto-ongeval.

'Dat was toch sarcastisch bedoeld, hè?' vroeg Ross.

Ik herlas het artikel en verfrommelde de krant.

'Hé!' zei Ross. 'Ik had hem nog niet uit!'

Ik duwde de dikke prop papier in zijn handen. 'Dit is geen journalistiek,' zei ik. 'Heeft er hier nog niemand gehoord van ethische normen? Dit lijkt wel het eerste het beste rioolblad.'

'Het verbaast me niks dat Davis zoiets schrijft,' zei Ross. 'Maar het verbaast me wel een beetje dat mijnheer Torelli het publiceert.'

'Mij niet,' zei ik. 'In een godvergeten gat als dit? Als hij die would-be journalistiek niet had, zou hij helemaal niks hebben.'

'Hé, zo is het wel genoeg,' zei Ross. Hij zag eruit of hij net een klap in zijn gezicht had gekregen. Maar als hij dacht dat ik me zou verontschuldigen omdat ik zijn achterlijke dorp had beledigd, had hij het mis.

Ik denk niet dat iemand anders op school de *Beacon* had gelezen. Niemand zei er wat van. Ik kreeg van niemand een rare blik. Niemand fluisterde achter mijn rug. Misschien, dacht ik, heel misschien zou ik de dag zonder kleerscheuren doorkomen.

Niet, dus.

Het tweede lesuur had ik geschiedenis. Mijnheer Green was er niet toen ik de klas binnenkwam. Ik hoopte stilletjes dat hij thuis zat met een of andere vreselijke ziekte. Ik gluurde naar zijn werktafel toen ik naar mijn tafel liep en zag in het midden een netjes opgevouwen krant liggen. Het was een exemplaar van de *Beacon*. Hij lag open op de bladzijde met het zogenaamde nieuwsbericht van Davis. Wie had dat daar zo gelegd? Ik keek de klas rond, maar zag Davis nergens. Sarah Moran zat aan haar tafel, met haar neus in een boek. Rick en Brad hingen op hun stoel om iets te lachen. Om mij? Voor één keer keek Daria mij recht in de ogen. Het was onmogelijk om iets af te lezen uit haar blik. Maar toen ik mijn hand naar de krant uitstak om hem van mijnheer Greens bureau te grissen, schoten haar ogen naar de deur. Een waarschuwing? Van Daria? Heel onwaarschijnlijk. Maar haar blik dwong me om me om te draaien en ik zag mijnheer Green me fronsend aanstaren. Geen wonder – mijn hand hing boven de krant. Ik had ze moeten weggrissen en het op een lopen zetten. Maar waar naartoe? Mijnheer Green blokkeerde niet alleen de uitgang, hij kwam steeds dichterbij. Snel ging ik aan mijn tafel zitten. Daar gaan we weer, dacht ik.

Mijnheer Green zette zijn boekentas op zijn werktafel. Hij ritste ze open en haalde er zijn boek en aantekeningen uit. Toen klapte hij de boekentas weer dicht en zette ze achter zijn werktafel. Ik volgde elke beweging die hij maakte. Hij legde het boek op de netjes opgevouwen krant. Met een beetje geluk zou dat boek daar blijven liggen en het artikel bedekken.

Als geluk een leerling uit mijnheer Greens geschiedenisles was, zou het vandaag zijn opgetekend als afwezig. Mijnheer Green ging zitten. Hij sloeg zijn boek open. Hij hield zijn hoofd schuin en zag de krant. Met gefronste wenkbrauwen trok hij hem onder zijn boek vandaan en bestudeerde hem. Eerst verschenen er vlekken in zijn nek, toen op zijn wangen. Zonder op te kijken, schoof hij de krant weer onder zijn boek. Toen de bel ging, stond hij op en begon hij met zijn les. Hij keek me niet één keer aan. Eerst was ik opgelucht. Toen kreeg ik het in de gaten – hij negeerde mij. Een deel van mij was dankbaar. Het andere deel voelde zich misselijk. De knoop in mijn maag liet me voelen dat alles eerst nog erger zou worden voor het beter werd.

Eindelijk ging de bel en kon ik mijnheer Greens klas ontvluchten. Op weg van de geschiedenisles naar de wiskundeles kwam ik langs het secretariaat. Daar zag ik Steve Denby aan de balie staan. Hij zag mij niet, maar ik had het gevoel dat zijn aanwezigheid geen toeval was.

Tijdens de lunch ging ik naar de redactiekamer. Ross zei: 'Ik heb Davis met de politie zien praten.'

'Oh ja?'

'Denk jij dat het over dat artikel in de *Beacon* ging?'

'Hoe kan ik dat nu weten, Ross?' Ik vrees dat ik bijna zijn hoofd eraf beet. Hij zei niks meer.

Na schooltijd bleef ik voor de laatste keer van de vijf na. Ik ging in het nablijflokaal zitten en wachtte. Blijkbaar was ik de enige klant. Toen stommelde Dean Abbott binnen. Hij ging op de achterste rij zitten en begon in een weekblad te lezen. De bel ging. Mijnheer Green kwam binnen met twee dikke boeken.

'Goed,' zei hij, ook al hadden Dean noch ik een woord gezegd. 'Jullie komen allebei naar voren en nemen een van deze twee.' Hij hield twee exemplaren van de *Oxford Canadian Dictionary* omhoog.

'Sla ze open.'

Ik keek hem uitdrukkingloos aan.

'Welke bladzijde?' vroeg Dean.

'Allemachtig,' zei mijnheer Green. Hij greep mijn woordenboek, ook al had ik niks gevraagd, sloeg het op een willekeurige bladzijde open en liet het voor me neerploffen.

'Jij gaat naar het middelste bord,' zei hij tegen mij. En tegen Dean: 'En jij naar het zijbord. Begin boven aan de linkerbladzijde. Schrijf elk woord over en dan zijn definitie. Dan gebruik je het woord in een zin. Een echte zin. Als, bijvoorbeeld, het woord *ongerijmd* is, schrijf je niet, *het was ongerijmd*, maar schrijf je een zin waaruit duidelijk blijkt dat je het woord begrijpt.'

Ik gluurde naar Dean, die een heel geloofwaardige imitatie ten beste gaf van iemand die instructies in een wildvreemde taal probeert te ontcijferen. Ik durfde te wedden dat *ongerijmd* niet in zijn vocabularium thuishoorde.

'Start!' beval mijnheer Green.

We liepen naar ons stuk bord. Het eerste woord op mijn bladzijde was *schijnwereld*. Daar begon ik. Ik schreef snel terwijl ik bedacht wat een eikel mijnheer Green was. Maar aan de andere kant, als de nevenwerking van mijn straf een uitbreiding van mijn woordenschat was, kon ik daarmee leven. Ik werkte snel verder aan *schijnwerper*, *schijnzoek* en *schijnzwangerschap*. Het volgende woord deed me uit alle macht op de rempedaal duwen.

'Euh, mijnheer Green?' zei ik.

'Zwijg,' zei hij.

'Maar, mijnheer...'

'Juffrouw Yan, nablijven is geen kletssessie. Wel een straf. Doe wat je wordt gevraagd.'

Nou, goed dan. Ik ging verder met het volgende woord. Wie zei dat nablijven vervelend was? Toen kwam het volgende woord en toen het volgende. Ik hoorde een gesmoord geluid van de zij-kant van de klas. Ik gluurde naar Dean, die op zijn knokkels stond te bijten om te onderdrukken wat een gigantisch lachsalvo dreigde te worden. Er was tenminste iemand die plezier had aan mijn werk.

Ik was bijna onder aan de bladzijde toen de bel ging. Mijnheer Green liet ons gaan. Toen ik mijn spullen bij elkaar begon te rapen, draaide hij zich om om te kijken wat ik had geschreven. Er verschenen rode vlekken in zijn nek. Ik slaagde erin om een uit-gestreken gezicht te houden.

'Jou zie ik morgen na de lessen opnieuw,' zei mijnheer Green tegen mij.

'Ik ben vijf keer nagebleven,' merkte ik op. 'Dit was de laatste keer.'

Hij vloekte binnensmonds toen hij van mij naar het bord keek en van het bord naar mij keek.

'Ik heb gewoon gedaan wat u vroeg,' zei ik. 'Ik heb een getuige, hè, Dean?'

Dean knikte heftig en enthousiast.

Mijnheer Green lette er niet eens op. Hij greep een bordenwisser en maakte al mijn noeste arbeid ongedaan.

Ik liep de school uit toen ik Davis naar de hoofduitgang zag lopen.

'Hé!' schreeuwde ik. Hij draaide zich om en keek me aan. Als hij mijn woede voelde, liet hij dat in elk geval niet merken. Het leek zelfs of hij niet meteen in de gaten had dat ik iets tegen hem zei. Hij had blijkbaar belangrijker dingen aan zijn hoofd.

'Ben jij nu helemaal gek geworden?' vroeg ik. 'Hebben ze je dan helemaal niks geleerd op die snobschool van je?'

Hij slaagde erin om tegelijkertijd verbaasd en onschuldig te kijken. 'Ik was de beste van mijn jaar,' zei hij. 'Ik heb daar heel veel geleerd. Een politieagent heeft me vandaag bijvoorbeeld naar het secretariaat geroepen en me gevraagd mijn bronnen vrij te geven.'

Steve Denby. Jezus.

'Maar ik heb hem niks verteld.' Hij glimlachte.

Als hij stond te wachten op een bedankje, kon hij nog lang wachten.

'Blijkbaar hebben ze toch vergeten je ethiek bij te brengen,' zei ik.

Een dunne, blonde wenkbrauw fronste zich. 'In dat zogenaamde artikel van jou in de *Beacon* staan niks dan zinspelingen,' zei ik. 'Zinspelingen dat ik iets misdaan zou hebben.'

De wenkbrauw kroop nog een millimeter hoger.

'Oh ja?' zei hij. 'Ik kan me niet herinneren dat ik je naam heb gebruikt.'

'Je hebt me geciteerd.'

'Echt waar?'

'"Je hebt er geen idee van wat dat voor me betekent", dat heb ik vorige week vrijdag tegen jou gezegd toen je informatie bij me probeerde los te weken. Voor het geval dat nog niemand je daarop heeft gewezen,' zei ik, 'het is laag, laag – had ik dat al gezegd? – laag en laf om iemand te citeren zonder te vermelden wie je citeert.'

'Mmmm,' zei Davis. 'Dat geldt dan voor alle 'volgens goed ingelichte bron'-verhalen die je voortdurend in de kranten ziet.'

'En ten tweede,' zei ik, 'klopt er geen ene moer van wat je beweert.'

'Je hebt me net verteld dat je het zelf hebt gezegd.'

'Dat was sarcastisch bedoeld. Ik heb mijnheer Greens auto niet aangeraakt.'

Zijn andere wenkbrauw kroop zijn voorhoofd op. '*Sarcastisch* bedoeld? En waarom heeft dan geen enkele van die elf verschillende mensen die zeiden dat ze je hadden gefeliciteerd met je stunt, me verteld dat je het had ontkend? Wat is er aan de hand, Chloe? Probeerde je de heldin uit te hangen met iets dat je niet eens hebt gedaan? Of heb je het wel gedaan, maar ben je te laf om het toe te geven, nu iedereen het weet?'

Ik wou dat ik kon zeggen dat ik niet wist wat me bezielde. Ik wou dat ik kon zeggen dat wat ik deed, me choqueerde. Maar ik weet wat me bezielde – woede. En ik was niet gechoqueerd, want de waarheid is dat ik ze af en toe verlies – mijn zelfbeheersing. Mijn handen schoten uit en ik duwde Davis zo hard dat hij achteroverhelde en tegen een van de trofeekasten aan beide kanten van de ingang smakte. Gelukkig kwam hij tegen het hout terecht en niet tegen het glas en brak er niks. Maar ik hoorde *whoemp* toen de lucht uit zijn longen schoot. Hij wankelde op zijn benen. Heel even dreigde het zo'n typische beweging uit een tekenfilm te worden. Je weet wel, als het ene figuurtje het andere slaat en het figuurtje dat een oplawaai heeft gekregen nog even in de lucht blijft hangen voor het opeens als een hoopje ellende op de grond neerstort. Maar Davis stortte niet neer. Hij keek me verbijsterd aan. Toen krabbelde hij weer overeind en zei: 'Jij maakt het jezelf ook niet makkelijk, hè?'

Toen wist ik dat hij me zou verklikken. Maar ik was niet van plan hem te smeken dat niet te doen. Dat plezier gunde ik hem niet. Ik keek hoe hij zijn jas rechttrok en zijn rugzak over zijn schouder zwaaide. Toen keek ik hem na terwijl hij in de gang richting secretariaat beende. Pas toen keek ik om me heen en zag ik dat we niet alleen waren geweest. Iemand had de hele tijd staan kijken. Die iemand was Daria Dattillo.

7

Ik geef het toe, ik stelde me echt aan. Ik had bergen huiswerk, maar in plaats van aan de slag te gaan, hing ik rond bij de voordeur tot Levesque thuis zou komen. Ik was op weg naar huis al bij het politiebureau gestopt, maar daar was hij niet. Ik vroeg me af of juffrouw Jeffries hem al had gebeld. Ik hoopte van niet. Als hij dan toch slecht nieuws over mij moest horen, wilde ik het hem zelf vertellen. Op die manier kwam ik tenminste niet over als de lafaard waarvoor Davis me probeerde te laten doorgaan. Ik zou rechtdoorzee zijn: *Kijk, hier ben ik. Ik heb me niet op mijn kamer verstopt, ik doe wat ik moet doen, ik kom ervoor uit, ik beken wat ik heb gedaan. Kies maar een straf. Ik verdien het. Ik verdien het allemaal. Maar bespaar me je teleurstelling.* Mama was de stad uit, maar zoveel meer bewegingsvrijheid had ik niet, want ze belde elke avond om met Phoebe en mij te praten en belde even later dan nog eens om met Levesque te praten. Als ik haar niet vertelde wat er was gebeurd, zou Levesque het doen.

Het was even na achten toen ik het grind van de oprit onder de wielen van zijn auto hoorde knallen. Ik vond dat hier op het platteland alles luider klonk dat in de stad. Zeker vanavond. Ik weet niet waarom, maar het is wel zo. Eén auto op het grind klonk als tien auto's. Twee futen op het meer klonken als twintig futen. Ik hoorde de motor van Levesques auto brommen en vervolgens uitvallen. Ik hoorde het portier openzwaaien, toen dichtklappen. Ik hoorde een sleutel in de voordeur. Ik hoorde de voordeur open en weer dichtzwaaien. En ik wachtte. Ik wachtte tot hij zijn laarzen uit en zijn pantoffels aan had getrokken voor ik zei: 'Heb je juffrouw Jeffries vandaag nog gesproken?'

Zijn ogen zoomden in op mij.

'Waarover?'

'Over mij.' Eigenlijk was ik een wie, geen wat. De uitdrukking op zijn gezicht veranderde niet, maar ik hoorde een 'wat nu weer?'-zucht aan hem ontsnappen.

'Ik werk me niet expres in de nesten, hoor,' zei ik.

'Soms vraag ik me af hoe hard je je best doet om geen problemen te krijgen.'

Zijn woorden waren als een lucifertje dat tegen de lont van mijn humeur werd gehouden. Ik moest mezelf dwingen om het uit te blazen.

'Een jongen op school maakt me het leven zuur,' zei ik. 'Het is dezelfde jongen die een artikel in de *Beacon* heeft geschreven over wat er met de auto van mijnheer Green is gebeurd.'

Hij knikte, wat betekende dat hij wist waar ik het over had. Dat hield steek. Steve Denby was vandaag op school met Davis komen praten omdat Levesque hem had gestuurd.

'Ik veronderstel dat je zou kunnen zeggen dat ik hem een duw heb gegeven,' zei ik.

'Je veronderstelt dat ik dat zou kunnen zeggen?'

'Oké dan, het is waar. Ik heb hem een duw gegeven.'

'Heb je hem bezeerd?'

'Hij kon nog gewoon verder lopen, als je dat bedoelt.'

Zijn blik maakte me duidelijk dat hij dat niet bedoelde.

'Misschien zal hij een blauwe plek op zijn rug hebben,' zei ik. 'Maar hij liep verder en hij hinkte niet of zo. En hij heeft niks gebroken.'

Levesque schudde zijn hoofd.

'Jij begeeft je de laatste tijd op behoorlijk glad ijs op school,' zei hij. 'Ik had gehoopt dat je wat meer op je hoede zou zijn.'

Zeg, wat was er gebeurd met dat rotsvaste vertrouwen in mij?

'Ik heb de auto van mijnheer Green niet aangeraakt,' zei ik.

'En toch schijnt iedereen er vanuit te gaan dat jij erachter zit. En als ik moet geloven wat ik heb gehoord, doe je geen enkele moeite om hen van het tegendeel te overtuigen. Integendeel. Je doet alsof je het inderdaad hebt gedaan.'

'Het is niet mijn schuld dat iedereen een hekel aan mijnheer Green heeft,' zei ik. 'Ze bleven me maar feliciteren. Ze luisterden niet eens als ik zei dat ik het niet had gedaan. Na een tijdje besloot ik om ze in de waan te laten.'

'Dat is zelden een goed idee,' zei hij.

'Ik heb niks misdaan,' zei ik. Mijn stem klonk schril.

'Je zei net dat je een jongen een duw hebt gegeven.'

'Hij provoceerde me.'

Levesque schudde zijn hoofd weer. 'Je moet het hoofd koel houden, Chloe,' zei hij. 'Als mensen dingen denken die niet kloppen en als die gedachten je in de problemen kunnen brengen, moet je het hoofd koel houden.'

'Bedankt,' mompelde ik. 'Ik zal het proberen te onthouden.'

Toen mama belde, vroeg ze hoe het met me was. Ik zei dat alles oké was. Toen vertelde ze hoe goed Brynn het deed op school. Drie hoeraatjes voor Brynn. Ze legde me niet op de rooster en ik vertelde haar niet wat er hier aan de hand was. Ik besloot om dat aan Levesque over te laten. Ik wilde er mijn hoofd niet meer over breken.

'Hoe ver sta je met je cafetariaverhaal?' vroeg Ross toen we de volgende ochtend samen naar school liepen.

'Ver genoeg.'

'Je denkt toch aan je deadline, hè?' zei Ross.

'Het is op tijd klaar,' zei ik. Trek het je vooral niet aan dat ik vandaag waarschijnlijk weer zal moeten opdraven voor de directrice. Trek het je niet aan dat het een mirakel zal zijn als ik niet wordt geschorst. En trek het je vooral niet aan dat Levesque deze keer niet voor me op zal komen.

Ross stopte pas met zaniken over het artikel en mijn deadline toen we op school aankwamen. Zoals elke donderdag liep hij regelrecht naar de dozen die vlak achter de deur stonden. De *Herald* werd op donderdag in de school verdeeld. Ross griste er altijd een exemplaar van mee en las dat van de eerste tot de laatste letter om te checken of het wel perfect was – of hij perfect was. Soms slopen er een paar tikfoutjes in. Daar werd hij helemaal gek van.

Ik gluurde naar de krant. De enquête stond erin. Ik vroeg me ongeveer twee seconden af hoeveel mensen hem zouden invullen en in de bus stoppen die Ross op de balie van de redactiekamer had gezet. Toen vroeg ik me meteen af wanneer ik naar het kantoor zou worden geroepen.

Het eerste lesuur ging voorbij en er gebeurde niets.

Het tweede lesuur ging voorbij, toen het derde en nog steeds was ik niet bij juffrouw Jeffries geroepen. Maar toen gebeurde er iets ergers.

Juffrouw Peters deelde onze nieuwe opdracht uit: belicht de maatschappelijke problemen die in een boek of toneelstuk aan bod komen. Maar we mochten niet kiezen welk boek of toneelstuk, we kregen er een opgelegd dat juffrouw Peters zelf had gekozen. Ik wist nog wel een goed onderwerp voor een opdracht: juffrouw Peters is een controlefreak. Aan mij gaf ze *Spartacus*. En, oh, ja, ik kreeg ook nog een medewerker. Iedereen kreeg een medewerker. Die juffrouw Peters zelf had gekozen. Ik kreeg Davis Kaye. Hij bleef er onbewogen bij toen hij dat hoorde. Toen ik naar hem keek om zijn reactie te zien, zat hij naar zijn tafel te staren. Hij zag eruit alsof hij een maand lang niet had geslapen. Arme Davis.

'Juffrouw Peters?' zei ik. Ik had gewacht tot iedereen de klas uit was. 'Zou ik u kunnen spreken over de boekbespreking?'

Ze keek op van haar boek. 'Probleem?' vroeg ze.

'Ik vroeg me af of we eventueel nog van medewerker mogen veranderen.'

Ze keek me aan alsof ik had gevraagd of ik met haar van hoofd mocht wisselen.

'De boekbesprekingen zijn toegewezen,' zei ze.

'Dat weet ik, maar als ik het zelf zou kunnen regelen om van medewerker te veranderen, zou dat dan mogen van u?'

'Heb je een probleem met...' Ze liet haar vinger over een blad papier glijden. Haar opdrachtenlijst, begreep ik. 'Met Davis?' vroeg ze.

'Nou, eerlijk gezegd...'

'Want als dat zo is, zul je je daar toch overheen moeten zetten. Deze opdracht is een academische studie,' zei ze. 'Hij is ook bedoeld om levenslessen uit te trekken, dat is net zo belangrijk als het resultaat. Als je bent afgestudeerd en in de echte wereld terechtkomt, zul je ontdekken dat je zal worden gevraagd om met alle soorten mensen samen te werken.'

Goh, denk je?

'Dan zul je ook vaak geen keuze hebben,' zei ze. 'Je moet leren om met alle soorten mensen om te gaan. Als je problemen hebt met Davis, vind je heus wel een manier om die op te lossen en de boekbespreking samen tot een goed einde te brengen.'

Het had geen zin om hier nog woorden aan vuil te maken. Dat had ik in het verleden al geprobeerd en het was nooit gelukt. En als ik keek naar de gebeurtenissen van de laatste weken, had ik geen reden om aan te nemen dat dat snel zou veranderen.

Ik liep de klas uit en botste pardoes tegen Davis. Dat kon ook niet anders, want hij stond tegen een rij kastjes achter de deur.

'Het kan me niet schelen dat je het hebt gehoord,' zei ik.

Hij keek een beetje versuft. 'Wat gehoord?'

'Goed geprobeerd,' zei ik.

Nu keek hij verward. 'Ik wilde het gewoon even met je hebben over...'

'Als we moeten samenwerken, moeten we samenwerken,' zei ik. Hij knipperde met zijn ogen naar me alsof ik de zon was en hij een wezen dat na een jarenlange winterslaap onder zijn steen vandaan kroop. 'Begin het boek te lezen en kom morgen na schooltijd naar de bibliotheek. Dan kunnen we het werk verdelen. Ik doe dit niet alleen en ik wil er minstens een A voor krijgen, begrepen?'

Hij knikte. Hij opende zijn mond en ik hield me schrap voor een portie Davis-opschepperij – hij had op zijn oude school vast al prijzen gewonnen voor dit soort dingen. Maar hij zei niks. Hij gedroeg zich helemaal niet Davis-achtig. Ik besloot dat ik die verandering in zijn gedrag best zag zitten. Pas toen ik hem in de gang achter had gelaten, herinnerde ik me dat hij met me had willen praten. Jammer voor hem.

Na schooltijd ging ik naar de redactiekamer, plofte neer achter een computer en hamerde mijn cafetaria-artikel erin. Toen printte ik het uit en smeet het op de werktafel van Ross. Hij keek verbaasd op.

'Probleem?' vroeg hij.

'Ik haat voetbal,' zei ik.

'Hé,' zei Eric, die opkeek van zijn computer, waar hij waarschijnlijk een ode aan die sport op zat in te tikken.

'Hé wat?' zei ik. 'Da's iets voor Neanderthalers.'

'Voor atletische krijgers, zul je bedoelen,' zei hij zonder één aanslag te missen. Ik vroeg me af hoe vaak hij dat al had gezegd of hoe lang hij die zin had opgespaard om hem op het juiste moment in een gesprek te kunnen lanceren.

'Neanderthalers,' zei ik nog eens, 'tot aan de tanden gewapend met een gigantisch ego, een fout gevoel voor humor, totale minachting voor iedereen die niet aan sport doet en - of had ik dat al gezegd? - een gigantisch ego.'

'Welke husky heeft jou gebeten?' vroeg Eric. 'De voetbalploeg van East Hastings Regional High heette de Huskies – vraag me niet waarom, zo hoog in het noorden liggen we nu ook weer niet. Toen keken Eric en Ross elkaar begrijpend aan.

'Wat?' zei ik.

'Wat wat?' zei Eric.

'Die blik. Wat betekent die blik?'

'Niks,' zei Ross.

Dat zal wel. 'Leugenaar.'

'Iedereen weet wat er tussen jou en Rick is gebeurd,' zei Eric. 'Hij maakt grapjes over je in de kleedkamer.'

'Ja, en daar heeft die *iedereen* vast rekening mee gehouden toen hij me dit artikel opdrong.' Ik keek Ross woedend aan.

Ross las mijn verhaal snel door. 'Je vond er niks aan, hè?'

'Ik haatte het,' zei ik. 'Ik ga naar huis.'

Ross zette zijn computer uit. 'Ik ook,' zei hij. 'Ik kom met je mee.'

Onderweg spuide ik al mijn voetbalhaat. Negenennegentig procent ervan was op Rick gericht.

'Blijkbaar zou je niet zo'n hekel aan die sport hebben als je niet zo dom was geweest om met Rick uit te gaan.'

'Bedankt, zeg.'

'Hé, bekijk het van de zonnige kant, als hij zo verder gaat, zit hij volgend jaar waarschijnlijk niet meer bij je in de klas. En als jij zou leren om wat vaker nee te zeggen...' Hij haalde zijn schouders op.

Ik liet Ross achter voor zijn oprit en liep naar het park. Die plek trok me aan als een magneet. Als ik door het park wandelde en de vogels naar elkaar hoorde roepen, me omdraaide als ik een eekhoorntje tussen de dorre bladeren op de grond hoorde ritselen, de frisse geur van de ceders en dennen inademde, genoot van de tientallen schakeringen groen van de dennennaalden, berken- en eikenbladeren en varens en mossen, voelde ik me... nou... gelukkig. En op zulke momenten vervaagde het stadsleven dat ik tot nu toe had geleid tot een grijze mist.

Ik glimlachte bij mezelf – echt waar – terwijl ik door de bossen ten noorden van Lodge Lake Road naar de weg rond Little Lodge Lake liep. Op min of meer regelmatige afstanden werd de weg onderbroken door opritten die naar een bungalow bij het meer leidden. Dat moet heerlijk zijn, dacht ik, om hier elke ochtend wakker te worden en over het glinsterende water uit te kijken. Ik kuierde verder en mijmerde over meren en zwemmen en het einde van het schooljaar en of ik een vakantiebaantje zou vinden. Ik zou verder zijn gewandeld, langs het meer, helemaal door het park, over de spoorweg en zo naar huis, als er niet iets in de zon had liggen blinken, dat mijn aandacht trok. Ik draaide me om om het beter te bekijken.

Iets op een oprit schitterde verblindend. Ik liep de oprit een stukje op en zag toen hoe het zat. Iets dat daar lag ving het zonlicht en reflecteerde het in mijn ogen. De schuldige was een zonnebril. Ik bukte me en raapte hem op. Hij had een duur uitziend designmontuur. De eigenaar van de bungalow had hem waarschijnlijk laten vallen. Ik kon hem laten liggen en hopen dat wie hem had laten vallen er de volgende keer dat hij naar de stad ging, niet overheen zou rijden. Of ik kon hem een stukje opschuiven, naar de rand van de oprit, waar hij veilig zou zijn, maar waar ze hem dan weer niet zo makkelijk zouden terugvinden. Of ik zou kunnen doen wat een goeie buur zou doen en hem in de bungalow terug gaan bezorgen. Het was een mooie middag en ik was echt in een goeie-buurstemming.

Ik wandelde de oprit op, die door een dicht dennenbosje liep. De bungalow zou zo voor me opdoemen. Toen dat gebeurde, dacht ik er een teken van leven te zien – de voordeur stond open. Pas toen ik vlak bij het geplaveide paadje kwam, dat dwars door het gras van de oprit naar de bungalow leidde, begon ik te vermoeden dat er iets niet pluis was.

Om te beginnen was het er stil. Te stil. Als de deur van een huis zomaar openstaat, verwacht je dat er elk moment iemand naar buiten of naar binnen komt. Maar er gebeurde niks. En ik hoorde ook geen mensengeluiden – voetstappen, een radio of tv, geluiden van mensen die aan het werk zijn. Nu zijn er natuurlijk altijd mensen die heel rustig zijn, dus had het misschien ook niks te betekenen. Maar toen zag ik vlekken – wat voor vlekken? Verf, misschien? Ze begonnen aan de voordeur – of misschien al in de bungalow, ik weet het niet – kwamen de trappen af en liepen langs het geplaveide paadje naar de garage, die aan het einde van de oprit lag. Had iemand iets gemorst?

'Hallo?' riep ik.

Geen antwoord. Toen besefte ik dat ik misschien op de volgende bungalowinbraak was gebotst. Ik liep naar de deur, ontweek de vlekken en tuurde voorzichtig naar binnen.

'Hallo?' riep ik nog eens.

Weer niks.

Ik draaide me om en volgde het vlekkenspoor. Nu kreeg ik een vreemd gevoel. Ik volgde het spoor naar de garage.

'Hallo?' riep ik.

De garagepoort was gesloten, maar het kleine deurtje aan de zijkant stond open. Er was iets op de klink gesmeerd. Iets donkerbruinachtigs. Ik wist niet wat het precies was en raakte het niet aan. Ik stak mijn hoofd door de deur en zag een auto – een crèmekleurige Jaguar. Ik knipperde met mijn ogen in het vage licht van de garage en zag dat er iemand in de auto zat. Iemand die in elkaar gezakt op de voorbank zat. Iemand die niet bewoog.

Niet naar binnengaan, zei een stem in mijn hoofd. Blijf buiten en bel iemand. Bel Levesque.

Dat was toch het slimste?

Ik vond het altijd belachelijk dat het hoofdpersonage van een horrorfilm, als het in de kelder of op zolder een geluid hoorde, niet zo snel mogelijk wegrende, maar een kaars aanstak en recht op het geluid afging. Ik denk niet dat ik dat ooit nog belachelijk zal vinden. Want nu begrijp ik dat. Ik begrijp waarom ze niet doen wat je het meest logische lijkt. Er hangt iets in de lucht. De verdoemenis of het noodlot of het lot – hoe je het ook wilt noemen – zendt een krachtig signaal uit dat je als mens niet kunt negeren, want wij zijn nu eenmaal gedoemd tot nieuwsgierigheid.

Daar hing iemand op de voorbank van die auto. Die iemand bewoog niet. Ik herkende de auto. Het was de auto die ik vrijdag in de buurt van het park langs de weg had zien staan. Dat werkte op me als een magneet op ijzer. Ik werd de garage ingezogen, naar de auto toe gezogen, gedwongen om me te bukken en door het raam naar binnen te turen. En toen verstijfde ik helemaal, ook al schreeuwde elke zenuw in mijn lichaam dat ik moest rennen, rennen, heel snel en ver weg rennen, ook al draaide mijn maag en wist ik dat wat ik had gegeten, er elk moment uit kon komen.

De man in de auto was de man die ik een paar dagen geleden in de telefooncel aan de rand van het park had gezien, de man die naar me had geschreeuwd en me weg had gejaagd. De voorkant van zijn trui was doordrenkt met iets donkerbruins. Je hoefde geen dokter te zijn om te weten dat het bloed was. Zijn hand lag uitgestrekt naar het mobieltje in de houder op het dashboard. Zijn ogen staarden. Zijn mond hing open. Niets bewoog.

Het duurde een fractie van een seconde om dat beeld in me op te nemen. Of was het vijf minuten. Ik weet het niet. Ik bukte me. Ik keek. Ik verwerkte de informatie. En toen pas strompelde ik de garage uit. Toen pas gaf ik over op het gras tussen de garage en het huis. Toen pas herinnerde ik me de goede raad die ik mezelf had gegeven. Bel iemand. Bel Levesque.

Telefoon. Phoebe had een mobieltje. Ze ging zoveel mogelijk babysitten om het te kunnen betalen. Ik had er geen, had er geen gewild. In zo'n klein dorp zie je iedereen elke dag. Soms vaker op een dag dan je zou willen. Meestal verlangde ik naar wat meer privacy in plaats van meer contact met de inwoners van East Hastings. Maar op dit moment zou ik elke cent die ik had én mijn rechterarm hebben gegeven voor een mobieltje. Er lag er een in de auto, maar ik was slim genoeg om daar niet aan te komen. Zelfs van de auto bleef ik af. Ik keek om me heen alsof ik verwachtte dat er een naast de garage zou liggen. Niks. Misschien lag er een in de bungalow. Maar zelfs als er daar een lag, ging ik niet terug om het te zoeken. Ik wilde niet over dat vlekkenspoor lopen. Ik was niet van plan de plaats van de misdaad overhoop te gooien.

Denk, Chloe. Waar was de dichtstbijzijnde telefoon? In de volgende bungalow? De meeste stonden rond deze tijd van het jaar leeg.

De dichtstbijzijnde telefoon was... in de telefooncel bij de ingang van het park.

Ik hield de zonnebril die ik op de oprit had opgeraapt nog steeds in mijn hand geklemd en rende.

Ik rende tot ik dacht dat mijn longen zouden ontploffen. Ik denk dat alles dat in mijn rugzak zat op de grond rond de telefooncel terechtkwam toen ik naar een kwartje zocht. Ik vond er een. Mijn vingers trilden toen ik het in het gleufje stak en de nummers intikte. Pas toen besefte ik dat je het noodnummer zonder muntje kunt bellen. Maar ik vond dat ik me nog behoorlijk beheerste terwijl ik wachtte tot iemand opnam.

'Politiebureau, met Levesque.'

Ik dacht dat ik kalm rapporteerde wat ik had gezien. Ik wist zeker dat ik langzaam en helder sprak.

'Kalmeer, Chloe,' zei Levesque. 'Haal even diep adem.' Toen ik maar bleef doorpraten, beval hij: 'Chloe, zwijg en haal diep adem.'

Ik gehoorzaamde.

'Waar ben je nu?' zei hij.

Ik vertelde het hem. Toen zei ik: 'Ik denk dat hij dood is, maar ik weet het niet zeker. Ik weet het niet zeker.'

Hij zei dat ik moest blijven waar ik was. Hij zei dat ik ergens moest gaan zitten waar er geen verkeer kwam en daar moest blijven tot hij me kwam halen. Ik beloofde dat ik dat zou doen.

8

Ik stond in de telefooncel te staren naar de zonnebril die ik naast de telefoon had neergelegd, toen een politieauto voor de telefooncel stopte en Levesque uitstapte.

Ik hing de hoorn terug in de haak.

'Alles goed met je?' vroeg Levesque. Hij keek me aandachtig aan.

'Niet echt,' gaf ik toe.

'Stap in,' zei hij. 'Ik zal daar nog even moeten stoppen voor ik je naar huis breng, goed?'

'Goed.'

Een paar minuten later draaide Levesque de lange oprit op. Het grind ketste weg onder onze wielen toen we bij twee andere auto's kwamen die daar waren aangekomen sinds ik hier was geweest. De ene was een politieauto. De andere herkende ik niet. Steve Denby stond een eind van de garage vandaan met een vrouw te praten. Ze had een zwarte doktersstas in haar handen. Toen hij zich naar ons draaide, zag ik dat hij ook bleek was. Daarin leek Steve vast op mij. Hij had ook nog niet veel lijken gezien.

'In de auto blijven, oké?' zei Levesque.

Geen probleem. Ik wilde die garage niet meer zien, laat staan er in de buurt komen.

Levesque stapte uit en liep naar Steve en de vrouw. Ze praatten een paar minuten en toen liep Steve terug naar zijn auto en zwaaide hij de koffer open. Levesque verdween in de garage. Ik vond dat hij lang weg bleef. Toen hij eindelijk weer tevoorschijn kwam, bleef hij staan om weer met Steve te praten. Toen kwam hij terug naar de auto, stapte achter het stuur en draaide zich naar mij.

'Hoe komt het dat je hem hebt gevonden?' vroeg hij.

Ik gaf hem de zonnebril en vertelde hoe die me via de oprit naar de bungalow had geleid. Nu ik was beginnen te praten, kon ik niet meer stoppen. Ik vertelde hem dat ik de man al eens had gezien, in de telefooncel van waaruit ik hem net had gebeld. Toen begon ik over mijn hele lijf te bibberen. Een paar dagen geleden was de man een levende, ademende brombeer geweest, die me boos bij zijn auto vandaan had gejaagd. Nu was hij dood.

'Ik breng je naar huis,' zei Levesque. Zijn stem klonk zacht. Hij keek me in de ogen. 'Daarna moet ik nog even terugkomen. Goed?'

Ik knikte.

'Je mag hier tegen niemand iets over zeggen, hoor je? Niet dat je hem hebt gevonden. Niet waar je hem hebt gevonden. Niet wat je hebt gezien. Niets, snap je?'

Ik knikte nog eens.

'Als ik hier eerder voorbij was gekomen,' zei ik, 'had hij misschien nog geleefd. Misschien had ik hem kunnen...'

'Dan zou je hier vanochtend al geweest moeten zijn,' zei Levesque. 'Het ziet ernaar uit dat hij al minstens acht of negen uur dood is. Je zou niks hebben kunnen doen.'

Hij zette me voor ons huis af, vroeg nog eens of ik zeker wist dat ik het zou redden en reed toen terug naar de plaats van de misdaad.

Toen ik thuiskwam, zat Phoebe op haar kamer haar huiswerk te maken. Ik besloot haar niet lastig te vallen. Ik dacht aan al die opdrachten die me boven het hoofd hingen – mijn boekbespreking voor Engels, mijn werkstuk voor geschiedenis. Als ik slim was, deed ik hetzelfde als mijn zusje. Ik palmde de eettafel in, klapte mijn boeken open... en deed helemaal niks. Die man was dood. Ik was er nu bijna zeker van dat die vlekken op de trappen, het pad en de oprit bloed waren. Hij was een gewelddadige dood gestorven en als het geen zelfmoord was, had iemand hem gedood. Ik ben geen expert, maar dit leek geen zelfmoord, zeker niet als ik moest afgaan op wat ik op tv had gehoord en gezien over dat onderwerp. Zelfmoord waar veel bloed mee is gemoeid, is met een revolver gebeurd. De man had een schotwond in zijn borst. Mensen die zichzelf een kogel door het lijf jagen, mikken meestal hoger. Als hij zichzelf een kogel door het lijf had gejaagd waar de meeste mensen die zelfmoord plegen dat doen, had ik hem niet herkend. Ik begon weer te bibberen.

Levesque belde om tien uur om te vragen hoe het met me was. Ik zei dat alles oké was. Ik voelde me ook oké – behalve dat ik het beeld van die dode man niet van me af kon zetten. Telkens als ik mijn ogen sloot, was hij daar weer. Levesque zei dat hij laat thuis zou zijn. Maar hij kwam vroeg thuis – vroeg de volgende ochtend. Hij kwam de voordeur binnengelopen toen ik mijn eerste kop koffie inschonk. Ik gaf hem mijn mok en schonk voor mezelf een andere in.

'Alles goed met je?' vroeg hij.

Ik knikte. 'Mama heeft gebeld,' zei ik. 'Twee keer. Ze vroeg of je wilde terugbellen.'

Hij wierp een blik op zijn horloge. Het was pas half acht. Toen dronk hij een slok koffie.

'Mag ik je iets vragen?' zei ik.

Hij zei niet nee.

'Wie was hij? Je weet wel, die dode.'

'Zijn naam was Stanley Meadows,' zei Levesque. Hij plofte neer aan de keukentafel. Zijn gezicht was grijs. Hij moest zich dringend scheren. De knieën van zijn broek zaten onder de modder.

'Is hij vermoord?'

Hij keek me vermoeid aan. Ik weet precies wat hij dacht: *Moet ik nu weer mijn speech afsteken?* De speech ging over het principe dat de burger niet bevoegd is voor officiële politiezaken.

'Ach, toe nou,' zei ik. 'Ik heb hem gevonden. Ik heb de hele nacht over hem gedroomd.' Die droom was een nachtmerrie geweest.

'Je mag het…'

'… aan niemand vertellen,' zei ik. 'Ik weet het.'

Hij twijfelde zo lang dat ik dacht dat hij zich aan de regels zou houden. Toen zei hij: 'Het ziet ernaar uit dat er iemand in de bungalow heeft ingebroken. Aan de achterkant was er een raam geforceerd.'

'Weer een inbraak?' Precies wat ik dacht toen ik de voordeur open zag staan.

'Zou kunnen.'

'Dus iemand heeft daar ingebroken, wist niet dat Meadows thuis was en heeft hem vermoord toen Meadows hem betrapte?'

'Dat is een mogelijkheid, ja,' zei hij.

'Hoe bedoel je, een mogelijkheid?' vroeg ik. 'Er was toch ingebroken, net als op die andere plaatsen?'

'Ik probeer geen enkele mogelijkheid uit te sluiten.'

'En de zonnebril? Denk je dat de moordenaar die heeft laten vallen?'

'Weten we nog niet,' zei hij.

Er zat me nog iets anders dwars.

'Als die man thuis een inbreker heeft betrapt, is hij toch in huis neergeschoten?' zei ik. De bloeddruppels liepen van de voordeur via het pad naar de garage. 'Maar wat deed hij dan in zijn auto?'

'Er is geen telefoon in de bungalow,' zei Levesque. 'Ik denk dat hij zijn mobieltje in de auto had laten liggen en daar naartoe wilde om om hulp te bellen.'

Ik huiverde als ik dacht hoe Stanley Meadows daar ineengezakt op de crèmekleurige bekleding van zijn crèmekleurige auto had gehangen, te zwak om te bellen.

'Wat nu?' vroeg ik.

'Nu ga ik proberen om een paar uur te slapen. Dan moet ik terug naar mijn werk. Ik weet niet wanneer ik thuis zal zijn. Redden Phoebe en jij je wel alleen?'

Ik keek hem zuur aan. Achttien maanden geleden, toen we nog in Montreal woonden en mama nog een serveerster was, hadden mijn zussen en ik ons prima gered. Dacht hij dat we vergeten waren hoe dat moest?

'Heb je het gehoord?' zei Ross. Toen: 'Stomme vraag. Weten ze al wat er is gebeurd?'

'Jij bent Levesque tegengekomen,' zei ik.

'Ja,' zei hij en hij keek me vragend aan. 'Waarom?'

'Dat was een retorische vraag, Ross. Denk eens na.'

Hij hoefde niet lang na te denken. 'Het is net alsof je vader een geheimagent is, hè?' zei hij.

'Nou, ik zou het niet weten, Ross. Levesque is geen geheimagent.' Ik vertelde niet dat ik het lijk had gevonden. Levesque had me gevraagd om te zwijgen. Maar goed ook. Want als ik dat stukje informatie gaf, zouden tientallen mensen me komen lastigvallen.

Ik had die ochtend moeite om me te concentreren. Ik had niet goed geslapen en hoe meer ik probeerde niet aan Stanley

Meadows te denken, hoe meer hij door mijn hoofd spookte. Net als de donkere vlekken die ik op de trappen en het pad had gezien. Die man had bloed verloren. Hij had geprobeerd om bij de enige telefoon die er was te komen, het mobieltje in zijn auto, zodat hij om hulp kon roepen. Hij had het niet gehaald. Ook al kende ik Stanley Meadows niet – en was de indruk die ik van hem had gekregen bij die ene ontmoeting niet bepaald gunstig geweest – toch voelde ik me verdrietig om hem. Ik vroeg me af of hij getrouwd was of kinderen had. En zo ja, waren die al opgespoord? Had iemand hen het slechte nieuws verteld? Hoe hadden ze gereageerd? Die gedachten bleven maar door mijn hoofd spoken, terwijl ik eigenlijk zou moeten opletten. In de lunchpauze besloot ik een luchtje te gaan scheppen.

Ik liep door een achterdeur naar buiten. Sarah stond daar tegen Davis aangeplakt als pakpapier rond een kerstcadeautje. Ze was kleiner dan Davis. Zijn kin rustte op haar hoofd. Zijn blik stond op oneindig. Ik draaide me om en spurtte langs de zijkant van de school weg. Sommige dingen zie ik liever niet.

Het leek me een leuk idee om naar Pine Lake te gaan en er een strandwandeling te maken. Rond deze tijd van het jaar is het daar nooit druk. Ik liep het parkeerterrein van de school over en zag opeens dat het achterportier van een van de auto's openstond. Er was niemand in de buurt. Iemand had zijn portier blijkbaar vergeten dicht te slaan. Ik besloot om dat dan maar te doen. Dat komt er nu van. Toen ik mijn hand naar binnen stak om het knopje van de vergrendeling naar beneden te duwen, zag ik dat het kleine achterraampje gebroken was. De achterbank en het tapijt op de vloer lagen vol scherven. Er lag een stuk papier op de grond. Ik wilde het pakken, maar een stem in mijn hoofd zei: 'Nergens aankomen.' Toen ik van de auto weg liep, hoorde ik nog een andere stem. Een stem die naar me schreeuwde. Ik draaide me om en keek naar de school. Mijnheer Green stond bij het raam op de tweede verdieping en schreeuwde dat ik moest blijven staan waar ik stond. Ik deed een stap naar achteren. Mijnheer Greens gezicht verdween uit het raam. Twee of drie minuten later spurtte hij de school uit. Toen hij me had ingehaald, was hij buiten adem. Voor zo'n jonge kerel was mijnheer Green niet erg in conditie. Te vaak met zijn neus in de geschiedenisboeken gezeten, denk ik.

Hij greep me bij mijn arm en hield hem in de tang terwijl hij de auto controleerde. Zijn auto, besefte ik nu. Er stond blijkbaar geen maat op hoe dom mijnheer Green dacht dat ik was. Hij had me zijn auto zien aanraken. Hij had me dat vanuit een raam op de tweede verdieping aangekondigd. Wat zou ik erbij gewonnen hebben om weg te rennen? Zelfs als ik had besloten om me uit de voeten te maken, had ik dat gedaan tussen het ogenblik dat hij bij het raam stond en het ogenblik dat hij de school uitkwam, maar toch niet nu.

Mijnheer Green raapte het stuk papier op. Hij bestudeerde het even en keek me toen woest aan.

'Waar is het?' zei hij.

'Waar is wat?'

'Hier zul je voor boeten.'

'Ik heb niks gedaan,' zei ik. Man, ik was dat zinnetje spuugzat.

'Oh nee?' zei hij. 'Leg me dan dit maar eens uit.'

Hij smeet het papier in mijn gezicht. Het was de kopie van een bladzijde uit de *Oxford Canadian Dictionary*. Het eerste woord op de bladzijde was *schijnvertoning*. Iemand deed heel veel moeite om mij erin te luizen.

'We gaan naar de directrice,' zei hij. 'En wel meteen.'

Mijnheer Green had blijkbaar zijn les getrokken uit het incident met zijn kapotte autoband, want deze keer raakte hij niks aan, behalve mij. Hij trok me mee naar het secretariaat. Ik was boos – op hem omdat ik niks had misdaan, maar wist dat hij dat nooit zou geloven – en op degene die de auto *opnieuw* had beschadigd – en mij weer verdacht had proberen te maken.

Mijnheer Green had blijkbaar veel aandacht getrokken toen hij uit de school kwam gerend om mij te betrappen, want tegen de tijd dat hij me weer naar binnen troonde, was er een hele toeloop ontstaan. Ik hoorde iemand iets over de auto van mijnheer Green zeggen, maar kon niet zien wie het was. Een heleboel mensen stonden te fluisteren.

Juffrouw Jeffries gluurde door de glazen wand die haar kantoor van het secretariaat scheidde. Ze stond langzaam op en schudde het hoofd. Ze deed me denken aan mijn ma als die me er *weer eens een keer* op betrapte dat ik Phoebe pestte. Haar gezicht zei: 'Hoe vaak ga je me nog teleurstellen, Chloe?' Voor juffrouw

Jeffries bij ons was, had mijnheer Green haar al verteld dat hij me had betrapt terwijl ik in zijn auto stond in te breken. Voor ik het wist, zat ik weer op wat bijna *mijn* stoel werd in het kantoor van juffrouw Jeffries. Mijnheer Green vertelde zijn versie van het verhaal. Toen keek juffrouw Jeffries me vragend aan.

'Wel, Chloe?' zei ze.

'Wel, wat? Hij heeft me niet betrapt. Hij zag me in de buurt van zijn auto en ging er meteen vanuit dat ik het heb gedaan.'

'Een van de raampjes was stuk,' zei mijnheer Green.

'Ik heb het niet stukgeslagen.'

'Er ontbreekt een heel belangrijk dossier.'

Ik had zin om te vragen waarom hij het in zijn auto had laten slingeren als het zo belangrijk was, maar dat zou alles waarschijnlijk alleen nog maar erger hebben gemaakt.

'Waarom haalt u de politie er niet bij?' zei ik. 'Die kan zelfs vingerafdrukken van me nemen.'

'Dat zou evenveel zin hebben als een vos laten tellen hoeveel kippen er in een kippenhok zitten, als je begrijpt wat ik bedoel,' zei mijnheer Green.

'Hé, pas op uw woorden,' zei ik. Over mij mocht hij zeggen wat hij wilde, maar als hij dacht dat ik hem Levesque zou laten beledigen of beschuldigen van vriendjespolitiek, dan had hij het mis.

Juffrouw Jeffries zuchtte. 'Ik neem het vanaf nu wel over, als u het niet erg vindt, mijnheer Green.'

Haar uitgebluste stem paste bij haar vermoeide gezicht.

Mijnheer Green leek verrast dat hem de deur werd gewezen, maar hij stond op en liep het kantoor uit. Juffrouw Jeffries leunde achterover in haar stoel en zuchtte weer.

'Wat is er aan de hand, Chloe?' vroeg ze. 'Je lijkt mij niet het type dat spiekt of in auto's inbreekt.'

Ik vertelde haar precies wat er op het parkeerterrein was gebeurd. Ze keek me recht in de ogen terwijl ik aan het woord was, alsof ze op zoek was naar iets. De waarheid, denk ik.

'Ik zal dit incident moeten rapporteren,' zei ze.

Ik knikte.

'Misschien kun je voorlopig beter wegblijven van het parkeerterrein...' zei ze.

Ik had een beter idee. Ik zou degene die me erin probeerde te luizen, ontmaskeren. Iemand zou hiervoor boeten – maar niet ik.

9

Het begon een beetje weg te hebben van zo'n maffia-afrekening in een drukke nachtclub. Er zijn een paar honderd mensen aanwezig, er wordt iemand neergeschoten, maar als de politie vragen begint te stellen, blijkt dat die paar honderd mensen stuk voor stuk toevallig allemaal op het toilet zaten toen het gebeurde. Met andere woorden, niemand had iets gezien. Maar iedereen vond het hartstikke stom van me dat ik me op heterdaad had laten betrappen toen ik in de auto van mijnheer Green inbrak.

'Dat was ook niet slim, hè,' zei Rick. 'Het is wel de bedoeling dat je eerst controleert of niemand je ziet.'

Iedereen speculeerde over wat er in het gestolen dossier zat.

'De geschiedenistest van volgende week?' raadde Rick. 'Of heb je de jackpot gescoord? Was het het eindexamen?'

Ik werd al dat geroddel al snel spuugzat. Tegen het einde van de dag vond ik het jammer dat ik niet ergens heel ver weg van school met Davis had afgesproken. Mijn enige troost was dat de schoolbibliotheek de enige plek in East Hastings was waar ik niet het gevaar liep om Rick en zijn voetbalmaatjes tegen te komen.

Bleek dat ik ook geen gevaar liep om er Davis tegen te komen. Een halfuur na het afgesproken uur was hij nog steeds niet komen opdagen. Ik had al een rothumeur toen ik in de bibliotheek aankwam, maar toen er dertig Davis-vrije minuten voorbij waren getikt, kookte ik. Als hij dacht dat ik die hele boekbespreking alleen zou maken, had hij het flink mis. En als hij dacht me nog meer in diskrediet te kunnen brengen bij juffrouw Peters door me niet als medewerker te willen, idem.

Ik had er geen idee van waar Davis woonde. Ik overwoog om het sprekende telefoonboek te bellen, maar toen herinnerde ik me weer dat Davis en zijn moeder bij zijn oma woonden en ik had geen flauw idee hoe die van haar achternaam heette. Maar ik kende iemand die het misschien wel wist.

Ross zat in de redactiekamer. Er waren periodes dat hij daar leek te wonen.

'Davis,' zei ik toen ik binnenkwam. 'Waar woont die ergens?'

'Waarom?'

'Weet je het of weet je het niet, Ross?'

'Wat een prachtige techniek om informatie bij iemand los te weken,' zei Ross. 'Eerst laat je je charmes uitgebreid op ze los om ze een beetje te ontdooien en dan stel je de grote vraag. Lukt altijd, wed ik.'

'Het werkt in elk geval even goed als jouw sarcasme,' zei ik. 'Ik had met Davis afgesproken in de bibliotheek. Hij heeft me laten zitten. En kijk niet zo, Ross. Ik had een afspraak met hem omdat juffrouw Peters me met hem heeft opgezadeld als medewerker voor een boekbespreking.'

Ross grinnikte. 'Het gaat je de laatste tijd niet echt voor de wind, hè?'

'Zolang ik niet nog een keer over een *lijk* struikel, red ik het wel,' beet ik terug. 'Weet je nu waar hij woont of niet?'

'Wat?'

Om de een of andere reden was Ross overeind geveerd.

'Weet je waar hij woont?' zei ik, nu een beetje harder en met een kleine pauze tussen twee woorden, zodat hij ze goed in zich op kon nemen.

'Wat bedoel je, zolang je niet nog een keer over een lijk struikelt? Heb je het over die kerel die ze bij het Little Lodge Lake hebben gevonden, die Meadows?'

Oeps.

'Dat was bij wijze van spreken, Ross.'

Hij geloofde me niet, niet dat ik dat had verwacht. Ross is soms een beetje naïef, maar hij is niet dom.

'*Jij* hebt die man gevonden, hè?' zei hij. 'Vertel op, wat weet je over die zaak?'

'Niks,' zei ik. 'Het onderzoek loopt nog. Levesque zou me vermoorden.'

'Vertel je me alles als het voorbij is?'

'Hou je een beetje in, zeg. Waarom wil je al die onsmakelijke details weten?' zei ik. 'Dat is echt goor. Toen ik hem vond, was het al een lijk, hoor, geen mens meer.'

'Ik weet waar hij woont.'

'Davis?'

Hij knikte. 'En hij staat niet in het telefoonboek.'

Ik wachtte, maar Ross hield zijn lippen stijf op elkaar.

'Het is al goed,' zei ik. 'Als de zaak gesloten is, zal ik het je vertellen. Maar als ik nog meer nachtmerries krijg omdat ik die traumatische ervaring steeds weer moet oprakelen, zet ik het je betaald.'

'Macdonald Avenue 15,' zei hij. 'Ten noorden van het centrum, vlak bij Lodge Lake Road.'

'Bedankt.'

'Ik hou je aan je belofte.'

Ik haalde mijn schouders op. 'Als je daar je zieke geest mee kunt plezieren,' zei ik toen ik weer naar de deur liep.

'Hé!' zei Ross.

'Wat?'

'Ik heb het gehoord van die auto.'

'Ik ben erin geluisd.'

Ik vertelde hem wat er precies was gebeurd.

'Maar hoe kon die persoon weten dat je net naast mijnheer Greens auto zou staan op het ogenblik dat hij uit het raam keek?' zei hij. 'Hoe kon hij voorspellen dat je op dat ogenblik zelfs maar op het parkeerterrein was?'

'Niet,' zei ik. 'Maar dat is niet belangrijk. Die bladzijde uit het woordenboek bewijst al genoeg dat ik het was. Zeker wat mijnheer Green betreft.'

'Ja, maar hoeveel mensen op school weten dat?'

'Ben je gek?' zei ik. 'De hele school weet het. Dean moest

samen met mij nablijven, weet je nog wel? Je hoeft het woord *schijnvertoning* maar uit te spreken, of hij plast bijna in zijn broek van het lachen.'

'Maar waarom?' zei Ross. 'Waarom zou iemand je dat willen aandoen?'

Goeie vraag. Als ik daar even goed het antwoord op wist als op mijn geschiedenistest, zou ik een heel eind op weg zijn om ook het antwoord op een andere goeie vraag te weten: Wie? Ik wist wel dat ik niet van iedereen het favoriete speelkameraadje was. En er waren misschien zelfs een paar mensen die ooit hadden gezegd dat ze me vervelend of verwaand of zelfs gemeen vonden. Maar ik had het nooit voor mogelijk gehouden dat iemand zo'n hekel aan me had dat hij me doelbewust dingen in de schoenen wilde schuiven waar ik nog in geen miljoen jaar op zou komen.

Toen ik naar mijn kastje liep om mijn jas te pakken, probeerde ik die gedachte uit mijn hoofd te zetten. Alles op zijn tijd. En nu was het tijd voor Davis. Ik bedacht wat ik tegen hem zou zeggen. Ik besloot om te beginnen met hoe onbeschoft ik het vond om iemand een halfuur te laten wachten en hem vervolgens aan het verstand te brengen dat ik niet, ik herhaal *niet*, van plan was om die boekbespreking alleen voor mijn rekening te nemen. Op dit uur van de dag was de school al bijna uitgestorven. Er liep maar één iemand in de gang waar mijn kastje stond. Sarah. Haar kastje stond bijna recht tegenover dat van mij. Ze stond op haar tenen en reikte naar iets op de bovenste plank. Misschien had ze me niet gezien. Misschien negeerde ze me. Kon mij het schelen. Ik trok mijn kastje open, pakte mijn jas en gooide het deurtje weer dicht. Toen ik het slotje weer op zijn plaats haakte, gaf ze een gilletje. Ik draaide me net op tijd om om een hele stapel spullen uit haar kastje te zien tuimelen. Losse bladen vlogen de hele gang door. Ik bukte me om er een paar op te rapen, een automatisch Barmhartige Samaritaan-reflex. Pas toen ik me omdraaide om ze aan haar terug te geven, zag ik dat ze had gehuild.

'Gaat het wel, Sarah?' vroeg ik.

Ze veegde haar tranen boos weg en pakte het stapeltje papier uit mijn hand. 'Ja,' zei ze, 'niet dat het je zaken zijn.'

In de zeven maanden dat ik op East Hastings Regional High zat, had ik een afstandelijke, maar vriendelijke 'Hoi, Alles Goed'-relatie met Sarah gehad. Het was pas sinds kort dat ze zich vijandig opstelde.

'Ze is altijd de eerste van de klas geweest,' had Ross me verteld toen ik haar het laatste trimester van haar troon had gestoten. 'Ik denk dat ze niet weet hoe ze moet omgaan met die tweede plaats.'

Als je het mij vraagt, ging ze er slecht mee om.

'Waarom ben je zo boos op mij?' vroeg ik.

Ze antwoordde niet en begon de rest van haar spullen op te rapen. Nog meer papieren, een paar blocnotes en nog iets anders. Ze grabbelde er snel naar en keerde me de rug toe, alsof ze niet wilde dat ik zag wat ze in haar rugzak moffelde. Te laat. Ik had het al gezien.

111

'Mooie balpennen,' zei ik. En ik kon het weten. Het waren dezelfde als de mijne. Paarse balpennen. Mijn lievelingsmerk. Ze had er een pakje van vier van. Tenminste, er hadden er vier in het pakje gezeten. Nu waren het er nog maar drie. Eén balpen was verdwenen.

Ik wilde mezelf voorhouden dat het toeval was. Er waren zoveel van die pennen. Er waren er op dit ogenblik waarschijnlijk miljoenen van in omloop. Ze werden in minstens drie winkels in East Hastings verkocht. Dus wat dan nog als Sarah er een pakje van had? Behalve dat geen enkel van de papieren die ik had opgeraapt was beschreven met paarse inkt. En ik kon me ook niet herinneren dat ik Sarah ooit had gezien met zo'n paarse pen in haar hand – niet dat ik op haar schrijfgewoonten lette of zo.

'Vind je ze mooi?' vroeg Sarah. 'Je mag ze hebben.' Ze gooide het pakje naar me toe en mepte de deur van haar kastje toe. Toen ik haar de gang uit zag lopen, dacht ik, Kom nou, je probeert iemand toch niet bewust te nekken omdat die betere cijfers haalt op school? Of wel?

Wel?

Macdonald Avenue nummer 15 was een groot, ouderwets bakstenen huis met donkerbruin houtwerk dat schreeuwde om een likje verf. Het metselwerk was volgens mij trouwens ook dringend toe aan een opknapbeurt. Toen dacht ik, gut, hoor mij nu. Sinds we hierheen waren verhuisd, had mama de gewoonte om door alle

dorpjes van de streek te rijden en verlekkerd naar de grote, over-
woekerde huizen van een eeuw oud te gaan kijken. Ze grapte
altijd dat ze op zoek was naar het perfecte huis. Soms ging ik met
haar mee. Ze somde altijd de voor- en nadelen op van elk huis
waar we langskwamen: dit heeft een grote zonnekamer. Hier zijn
de dakspanen rot, als we dit huis kochten, zou er een nieuw dak
op moeten.

Ik gaf vroeger niet zoveel om huizen. Maar ik had geleerd om,
net als mama, in een oogopslag hun gebreken te zien. En het
kwam hier op neer: Macdonald Avenue nummer 15 was een beetje te veel scheefgezakt en had te veel afbladderende verf om het
knusse stulpje van een briljante privé-schoolstudent te zijn. Ik
vroeg me af in wat voor huis Davis had gewoond voor hij hierheen was verhuisd. Ik vroeg me af hoe erg hij zijn oude buurt, zijn
oude school en oude vrienden miste. Ik had de eerste maanden
dat ik hier woonde ook een hekel aan East Hastings gehad en om
eerlijk te zijn keek ik nog steeds uit naar het moment dat ik klaar
zou zijn op de middelbare school en terug naar de stad zou kunnen. Maar niet naar Toronto, terug naar Montreal.

De magere vrouw die kwam opendoen toen ik had aangebeld,
was ongeveer even oud als mijn ma, maar veel mooier gekleed. Ze
zag er adembenemend uit in haar aansluitende zwarte broek,
paarse sweater en zwarte leren laarzen waar ik een moord voor
zou hebben begaan. Om haar slanke pols zat een gouden horloge.
Haar gouden oorbellen zagen er zwaar en duur uit. Ik durfde te

113

wedden dat ze die niet bij de juwelier in Morrisville had gekocht.

'Kan ik u ergens mee van dienst zijn?' vroeg ze. Niet gewoon: 'Kan ik je helpen?'.

'Is Davis hier?' vroeg ik nadat ik me had voorgesteld. Ik hoorde een ge*bonk, bonk, bonk* achter haar en toen een bibberige stem die zei: 'Wie is daar?' Er verscheen een oude vrouw die zwaar op haar looprek leunde.

'Een vriendin van Davis, moeder,' zei de vrouw. Ze draaide zich weer naar mij. 'Ik ben bang dat hij voor het ogenblik niet thuis is. Zal ik hem vragen of hij u belt als hij terugkomt?'

'Een vriendin?' vroeg de oude vrouw, ik denk de oma van Davis. Ze keek me over de schouder van haar dochter aan. Ik heb er geen idee van hoe oud ze was, maar als ze naar het bal van de honderdjarigen had gewild, zouden ze haar zeker binnen hebben gelaten. Haar huid was sneeuwwit en gerimpeld. Haar haar was zo donzig als een lentewolkje. Diepe lijnen doorgroefden haar gezicht. Ze gaven haar een droevige blik. Ik wist dat ze ziek was. Dat had Davis verteld. Ik vroeg me af hoe ziek ze was en of ze nog zou genezen.

'Ben jij de reden waarom hij nooit thuis is?' vroeg de oude vrouw. Het klonk als een verwijt.

'Mama, alsjeblieft,' zei Davis' moeder. Ze keek me verontschuldigend aan.

'Kunt u hem zeggen dat ik hier ben geweest?' zei ik. 'Hij zal wel weten waar het voor is.'

'Ik zal het hem zeggen,' zei zijn moeder.

Levesque stond bij het fornuis toen ik thuiskwam.

'Ik dacht dat je nog op het werk zou zijn,' zei ik. 'Je weet wel, helemaal opgeslorpt door dat grote onderzoek.'

Hij brak een ei in een kom en klopte het op.

'Je moeder heeft gebeld,' zei hij. 'Ik denk dat ik vrijdag naar Toronto rij om haar van de trein te halen. Als ik niet te veel werk heb. Zin om mee te gaan?'

'Kweenie. Ik heb massa's huiswerk. Ik red me wel alleen.'

Shendor blafte.

'Alleen met gezelschap,' verbeterde ik mezelf. Ik bukte me om haar achter de oren te krabbelen. Als ze een kat was geweest, had ze gespind. Nu voelde ik hoe elke vezel in haar lijf zich ontspande.

Levesque haalde kipfilet door het geklopte eimengsel, viste ze er weer uit en depte ze vervolgens in een hoopje bloem. Hij fronste zijn wenkbrauwen.

'Kan ik iets voor je doen?' vroeg ik.

Hij antwoordde niet.

'Zal ik de brandblusser pakken om de brand in de oven te blussen?' zei ik.

Geen reactie. Oké, het was dus officieel – hij was in gedachten verzonken, wat betekende dat ik weg kon glippen. Ik liet hem verder koken. Toen Phoebe de tafel had gedekt en we zaten te eten, zat er nog steeds een diepe frons tussen zijn wenkbrauwen.

'Wat is er, papa?' vroeg Phoebe. De minuut nadat hij en mama elkaar hun jawoord hadden gegeven, was Phoebe Levesque papa beginnen te noemen. Mijn oudere zus Brynn noemde hem Louis. Ik soms ook.

'Hij denkt na over die moord,' zei ik.

Levesque legde zijn vork neer. 'We zullen de volgende dagen waarschijnlijk een heleboel mediabelangstelling krijgen,' zei hij.

'Hoezo?' vroeg Phoebe.

Ik wachtte.

Levesque keek ons een ogenblik aan. 'Je leest het morgen toch in de krant,' zei hij, 'dus kan ik het net zo goed vertellen. Stanley Meadows zou volgende week hebben moeten getuigen in een belangrijke rechtszaak. Hij verbleef hier om veiligheidsredenen.'

'Wat voor rechtszaak?'

'Een proces tegen zijn zakenpartner. Nogal ingewikkeld, maar het draait vooral om fraude op grote schaal. Meadows zegt dat, toen hij erachter kwam, zijn partner hem een grote som geld aanbood om zijn mond te houden. Meadows sloeg het aanbod af en stapte naar de politie.'

'Ontspringt die partner de dans nu Meadows dood is?' vroeg Phoebe.

'Blijkbaar zal het in elk geval veel moeilijker worden om hem te veroordelen,' zei Levesque.

'Wat een afgang voor de politie, zeg,' zei ik. 'De kroongetuige van een belangrijke rechtszaak wordt vermoord door een kruimeldief in een dorp. Dat geloof je toch niet.'

Toen ik dat zei, keek Levesque me recht in de ogen.

'Dat is wat ze noemen de ironie van het lot,' zei Phoebe.

Misschien. Maar wat maakte het ook uit. Omdat alle puzzelstukjes opeens op hun plaats vielen. Stanley Meadows die belt vanuit een telefooncel, terwijl er een paar meter verder in zijn auto een mobieltje ligt. Stanley Meadows die over de rooie gaat als hij me in zijn auto ziet gluren. Stanley Meadows die dood wordt teruggevonden in de garage naast zijn bungalow.

'Ik weet het...' zei ik voor Levesque zijn hoofd schudde. Heel even maar, nauwelijks zichtbaar. Maar zijn hoofd had geschud en het was hem ernst. Een waarschuwing.

'Wat weet je?' zei Phoebe. En toen: 'Geef je de sla even door?'

Ik gaf de sla door. Phoebe schepte zich een tweede portie op en zei toen: 'Wat weet je, Chloe?'

'Niks.'

Levesque bleef me nog een fractie van een seconde aankijken en stak toen zijn hand uit naar de slakom. Opeens had ik geen honger meer. Ik dacht weer aan wat hij had geantwoord toen ik had gevraagd of hij dacht dat Meadows een inbreker op heterdaad had betrapt en door hem was vermoord. 'Dat is een mogelijkheid,' had hij gezegd, terwijl het mij overduidelijk leek dat het zo was gebeurd. Dat is een mogelijkheid. Nu vielen alle puzzelstukjes op hun plaats.

Ik werd opgeschrikt uit mijn gedachten door het geknars van wielen op het grind. Iemand kwam onze oprit opgereden. Ik deed aanstalten om op te staan. Levesque gebaarde me terug op mijn stoel.

'Het is Steve, denk ik,' zei hij. 'Hij zei dat hij op weg naar huis nog even aan zou komen.'

Ik hoorde Levesque de voordeur openmaken. Toen hoorde ik de deur weer dichtgaan. Hij was blijkbaar naar buiten gegaan om met Steve te praten. Pas een dikke tien minuten later kwam hij weer binnen. Hij had weer een diepe frons op zijn voorhoofd. Deze keer was die frons voor mij bestemd.

'Steve zegt dat iemand heeft ingebroken in een auto bij jullie op school,' zei hij.

'Oh?'

'Wie?' zei Phoebe. 'Welke auto?'

'De auto van een leraar,' zei Levesque.

'Welke leraar?'

'Van mijnheer Green,' zei ik. 'En ik heb er niks mee te maken.'

Levesque schudde zijn hoofd. 'Daar denkt mijnheer Green blijkbaar anders over.' Hij liet zich op zijn stoel zakken. 'Hij beweert dat hij je op heterdaad heeft betrapt.'

'Ik heb het niet...'

Levesque stak zijn hand omhoog. 'Voor alle duidelijkheid: ik beschouw je niet als een verdachte,' zei hij. 'Maar ik zou wel graag het hele verhaal horen – voor alle duidelijkheid.'

Ik vertelde hem alles wat er was gebeurd. Hij luisterde zonder iets te zeggen. Toen ik klaar was, zei hij: 'Als ik dat zo hoor, heb ik de indruk dat het vanaf het begin al niet klikte tussen jullie en dat er nu een hele resem misverstanden tussen jullie zijn.'

'Volgens mij zal hij pas rusten als ik achter de tralies zit,' zei ik.

'Ik twijfel eraan of het zover zal komen. Steve gaat het in elk geval onderzoeken. Hij zal misschien nog met je willen praten.'

'Heeft Steve enig idee van wat er in het dossier stond dat werd gestolen?'

Levesque knikte. 'Het was de kladversie van een artikel waar Green aan werkt. Hij zegt dat hij het wilde voorleggen aan een academisch tijdschrift. Hij zegt dat het zijn enige exemplaar is.'

'Staat het niet op zijn computer?'

'Zijn computer is een week geleden gecrasht. De harde schijf was helemaal gesmolten. Gelukkig had hij nog een exemplaar uitgeprint. Maar jammer genoeg had hij nog geen kopie gemaakt. Hij was van plan om dat op school te doen. Hij is behoorlijk overstuur.'

Ik voelde me zelf ook niet zo geweldig. Als ik er niet snel achterkwam wie me erin probeerde te luizen, zou ik mijnheer Greens Probleemleerling nummer 1 blijven en regelrecht afstevenen op een eindeloze reeks valse beschuldigingen en onverdiende straffen. Dat besef vrat aan me terwijl ik na het avondeten de afwas deed. Wie was er verantwoordelijk voor al mijn ellende?

Daria was niet bepaald een fan van me. Haar afkeer voor me zat al maanden te broeien. Was die eindelijk op zijn hoogtepunt gekomen? Had ze eindelijk besloten om wraak te nemen voor de vernedering die ze had moeten doorstaan voor haar plagiaat?

Haar nieuwe vriendje vond me trouwens ook maar niks. Maar die spiekbrief was zo goed nagemaakt dat zelfs ik even had getwijfeld of hij echt was. En mijn handschrift is vrij vloeiend. Het lijkt helemaal niet op de hanenpoten uit Ricks blocnote of de krullen van Daria. Ik kon zo'n grote, potige voetballer niet rijmen met een meestervervalser. Maar Daria was een mogelijkheid.

En dan was er natuurlijk Sarah. Die was ronduit vijandig tegen me. Ze was ook goed voorzien van mijn merk paarse balpennen. En ze was slim, bijna de beste leerling van de school. Iemand die zo intelligent was, zou er vast in slagen om iets te vervalsen als ze daar haar best voor deed. Maar toch klopte er iets niet. Als Sarah me in een slecht daglicht wilde plaatsen, zou ze het dan wel op deze manier doen? Zou het dan niet logischer zijn dat ze me op studiegebied probeerde te dwarsbomen? Of, als ze het echt vuil wilde spelen, een opdracht waar ik mee bezig was, probeerde te saboteren?

Opdracht. Grrrrrr. Dan dacht ik meteen aan die stomme Davis. Hoe durfde hij mij zo te dumpen! Hoe durfde hij te denken dat hij me zomaar kon laten zitten!

Pas toen ik in bed lag, begon ik weer aan Stanley Meadows te denken.

Een kerel die op een proces tegen zijn zakenpartner moet getuigen, wordt neergeschoten en vermoord als hij in zijn bungalow een inbreker op heterdaad betrapt. *Dat is een mogelijkheid.* Ik hoorde weer het ploffende geluid van grind onder de wielen van de politieauto toen Levesque en ik naar de bungalow terug reden. Net voetzoekers. Ik hoorde dat geluid deze avond weer toen Steve onze oprit op kwam gereden. In het holst van de nacht zou het nog veel luider hebben geklonken. Een inbreker zou dat geluid zeker hebben gehoord. De oprit die naar de bungalow van Stanley Meadows leidde, was lang en bedekt met een dikke grindlaag. Was de inbreker, die via een raam aan de achterkant van de bungalow was binnengedrongen, stokdoof misschien? Anders was hij toch gevlucht? Dus moest het net andersom zijn gegaan. Meadows was al in de bungalow toen de inbreker binnendrong. Maar was een dief niet ongelooflijk dom als hij ergens inbrak zonder eerst te controleren of er een auto in de garage of op de oprit stond? Ik was er bijna zeker van dat het dat was dat Levesque me niet had willen vertellen. Dat was ook waarom hij niet wilde dat ik iets over de zaak zei of vertelde dat ik het lijk had gevonden. De enige mensen die wisten waar Meadows was gevonden, waren Levesque, Steve, de dokter die Steve erbij had geroepen en ik. Levesque wilde dat zo houden. Hij wilde dat iedereen dacht dat de politie geloofde dat Meadows was vermoord door een inbreker, dat de echte moordenaar dat dus ook dacht. Als de moordenaar dacht dat hij buiten verdenking stond, was het voor Levesque makkelijker om de zaak op te lossen.

10

Toen ik de volgende dag de deur uitging, zat Levesque aan de keukentafel met gefronste wenkbrauwen de krant door te nemen. We kregen de krant uit Toronto elke dag thuis bezorgd. Stanley Meadows had de voorpagina gehaald, maar het was kantje boordje geweest. Het artikel had onderaan een kadertje van vijf, misschien zes centimeter lang gekregen en ging verder op de tweede bladzijde. Ik had het gelezen en was niks te weten gekomen dat ik niet al wist.

Ik loop normaal gezien niet langs het politiebureau naar school, maar de volgende ochtend ging ik wel daarlangs. Ik wilde er zeker van zijn dat Levesque niet naar zijn werk was gereden in de tijd die ik nodig had gehad om naar de stad te wandelen. Toen ik zijn auto niet zag staan, ging ik naar binnen.

Steve Denby zat aan zijn werktafel. Hij nam een slok van zijn koffie en staarde naar zijn computerscherm.

'Hoi, Steve,' zei ik.

Hij keek op en glimlachte. 'Hoi, Chloe,' zei hij. En toen: 'Hij is er niet.'

'Weet ik. Eigenlijk kom ik voor jou.'

'Oh?'

'Jij doet toch het onderzoek naar de inbraak in mijnheer Greens auto, hè?'

'Ja.' Nu klonk hij op zijn hoede, alsof hij bang was dat ik hem een staatsgeheim wilde ontfutselen. Toen ik dichter bij zijn bureau kwam, zag ik een plastic zak met een blad papier erin. Het was de kopie van de bladzijde uit het woordenboek dat op de achterbank van mijnheer Greens auto was gevonden.

'Mijnheer Green heeft je verteld dat ik het heb gedaan, hè?'

Steve aarzelde voor hij knikte.

'Nou, ik heb het niet gedaan,' zei ik.

Weer een kort knikje. Ik had dat knikje vaker gezien en ik wist wat het betekende. Steve was in een kloon van Louis Levesque aan het veranderen. Die knik betekende dat ik misschien schuldig was aan de inbraak en misschien ook niet. Steve liet alle mogelijkheden open. Dat was zijn taak.

'Kom nou, Steve,' zei ik. 'Je kent me toch. Waarom zou ik inbreken in de auto van een leraar? Waarom zou ik überhaupt inbreken in een auto?'

'Ik heb begrepen dat er een paar, euh, persoonlijke aanvaringen zijn geweest tussen jou en mijnheer Green.'

'Nou, en? Ik heb persoonlijke aanvaringen met zoveel mensen,' zei ik. Steve glimlachte. 'Heb je iets gevonden dat je meer duidelijkheid geeft over wat er is gebeurd of wie het heeft gedaan?'

Hij antwoordde niet.

'Toe nou,' smeekte ik. 'Heb je er enig idee van wat voor een week ik achter de rug heb?' Ik vertelde hem alles over de hele mijnheer Green-kwestie. Het meeste had hij al gehoord, maar niet van mijn standpunt uit. 'Iemand probeert me erin te luizen,' zei ik. 'En door alles wat er is gebeurd, wil mijnheer Green me te grazen nemen.'

'Chloe, ik moet neutraal blijven.'

Zie je wel?

'Dus je denkt dat ik het heb gedaan, bedoel je dat?' zei ik. 'Bedankt, zeg!'

Hij keek me een ogenblik aandachtig aan, net zoals Levesque dat zou doen, met dat verschil dat Steves ogen blauw zijn in plaats van zwart. En ze zijn warm, zelfs als hij probeert om streng en onverzettelijk te kijken.

'Weet je wat,' zei hij. 'Als je ermee akkoord gaat om je vingerafdrukken te laten nemen, kan ik je buiten verdenking stellen.'

'Hoe bedoel je? Heb je vingerafdrukken op de auto gevonden?'

'Op de auto? Tuurlijk. Maar dat zijn waarschijnlijk die van mijnheer Green. Ik denk dat ik het voorwerp heb gevonden waarmee het raam stuk is geslagen.'

Dat was nieuws.

'Waar heb je het gevonden?'

'Dat kan ik je niet zeggen.'

'Wat is het?'

'Dat mag ik je ook niet vertellen, Chloe.'

'Hoe weet je dat het voor de inbraak is gebruikt?'

Hij keek me zuur aan. 'Omdat ik word betaald om dat te weten,' zei hij.

Hij bood me een middel aan om mijn onschuld te bewijzen.

'Goed,' zei ik, 'je mag mijn vingerafdrukken nemen.'

Dat vingerafdrukken nemen duurde een paar minuten en gaf me inktvingers. 'En nu?' vroeg ik.

'Nu moet je me de tijd geven om alles eens goed te bekijken.'

'Mag ik in de lunchpauze terugkomen?'

'Ja, hoor, doe maar.'

'En, Steve?'

'Ik weet het. Niks tegen de baas zeggen.'

'Dank je, Steve.'

***

Ik zag Davis naar de achteruitgang van de school lopen.

'Hé,' riep ik.

Hij draaide zich niet eens om. Ik rende naar hem toe en haalde hem in toen zijn hand al op de deurklink lag.

'Hé, Davis!'

Hij keek me aan en rukte de deur open. Ik reikte langs hem door en duwde ze dicht.

'Ik zeg iets tegen je,' zei ik.

'Nee, je schreeuwt tegen me. Ik zou het waarderen als je het volume een beetje minder zet.'

'En ik zou het hebben gewaardeerd als je gisteren in de bibliotheek was komen opdagen, zoals we hadden afgesproken,' zei ik.

'Er is iets tussengekomen.'

Hij legde zijn hand weer op de klink. Ik greep zijn arm vast.

Hij draaide zich om en keek me aan. Hij zag er verschrikkelijk uit. Zijn gezicht was vaal en zijn ogen waterig, alsof hij te weinig had geslapen of te veel gefeest. Maar als hij medelijden verwachtte, was hij aan het verkeerde adres.

'Ik hou er niet van om te worden gedumpt, Davis, en ik hou er niet van om te worden misbruikt.'

'En hoe heb ik je dan misbruikt?'

'Je verwacht dat ik al het werk wel zal doen.'

'Wie zegt dat? Kijk, niet dat het jouw zaken zijn, maar mijn grootmoeder is ziek. Ze was vorige nacht de hele nacht wakker. Ik heb nauwelijks geslapen. Maar ik heb het boek al uit en als je wilt, kunnen we vandaag na schooltijd afspreken, goed?'

'Je hebt het boek al gelezen?' Ik wilde hem niet geloven, maar iets in zijn stem en de manier waarop hij me aankeek, overtuigden me dat hij de waarheid sprak. 'Het hele boek, van het begin tot het einde?'

'Elke bladzijde,' zei hij.

'Oké. Kom na schooltijd naar de bibliotheek.'

'Ik zal er zijn.'

In de Franse les werd ik betrapt. Madame Benoit stelde me een vraag en ik hoorde het niet omdat ik in mijn hoofd alle mogelijkheden aan het nagaan was. Onder mijn tafel was een spiekbrief gevonden met een handschrift dat heel sterk op dat van mij leek. Iemand had een van de autobanden van mijnheer Green kapot gestoken en een visitekaartje achtergelaten – een paarse balpen die heel toevallig identiek was aan het soort pennen dat ik altijd gebruik. Iemand had ingebroken in de auto van mijnheer Green, er een dossier uit gestolen en weer een visitekaartje achtergelaten dat iedereen met mij associeerde. En natuurlijk dacht mijnheer Green dat ik de schuldige was. Onder deze omstandigheden zou zelfs ik denken dat ik de dader was. Het enige probleem was dat ik de enige was die heel zeker wist dat ik niet één van die dingen op mijn kerfstok had. Maar als ik het niet had gedaan, wie dan wel? Wie haatte me genoeg om me er zo in te luizen? Daria? Rick? Davis? Sarah? Een deprimerend aantal mogelijkheden. Om de dader te pakken te krijgen, moest ik ze een voor een kunnen uitsluiten. Ondertussen was Steve mijn naam aan het zuiveren.

Tijdens de lunchpauze liep ik even binnen in de cafetaria. Ik was van plan er snel een broodje te kopen en dat op weg naar het politiebureau op te eten. Ik stond in de rij toen ik Sarah aan het uiteinde van een volle tafel zag zitten. Ze zat te lezen terwijl ze aan een muffin knabbelde en ze fruitsap met een rietje uit een flesje dronk. Ik staarde haar een paar ogenblikken aan en keek naar haar hand die rond het gladde glas van het flesje lag. Toen ik aan de beurt was om te betalen, vroeg ik aan Nicole Amberley, die aan de kassa zat, of ze een plastic zak had. Ze keek me uitdrukkingloos aan.

'Misschien ergens achter de balie,' suggereerde ik.

Ze voelde even rond achter de kassa en diepte uiteindelijk een gebruikte plastic zak op. Ik bedankte haar, vouwde de zak op en stopte hem in de zak van mijn jeans. Toen liep ik met mijn broodje naar de lege stoel tegenover Sarah.

'Mag ik hier komen zitten?' vroeg ik.

Ze begon iets te zeggen terwijl ze van haar boek opkeek, maar toen ze zag wie het was, perste ze haar lippen weer op elkaar.

'Hé, Sarah, alles goed?' zei ik.

Ze boog zich weer over haar boek.

Ik probeerde heel onopvallend mijn hand uit te steken. En toen, oeps, slaagde ik er op de een of andere manier in om haar flesje sap om te gooien. De hele tafel droop van het appelsap. Sarah sprong op om niet nat te worden en griste snel haar boeken weg.

'Jezus, sorry,' zei ik. Ik dacht dat ik overtuigend berouwvol klonk. Ik ving het flesje op bij de hals en zette het voorzichtig weer overeind.

'Dat deed je expres,' krijste Sarah.

'Ik zei toch dat het me speet.'

Maar ze luisterde al niet meer. Eerst had ze het te druk met haar boeken in haar tas te proppen. Toen had ze het te druk om de cafetaria uit te stampen. Ik bleef zitten waar ik zat en at mijn broodje verder op. Nadat iedereen was uitgestaard, viste ik de plastic zak uit mijn broekzak en liet ik het flesje er voorzichtig in glippen. Ik smokkelde het mee naar het politiebureau.

Levesque was er niet. Gelukkig. Maar Steve was er ook niet.

Maar zijn deur stond open, dus moest hij ergens in de buurt zijn. Ik liep naar zijn werktafel. Zijn computer stond aan. Misschien was dat een goed teken, misschien ook niet. Naast de computer lag een dik boek. Ik draaide het om om te kijken wat het was. Vingerafdrukken. Het was een boek over vingerafdrukken – de nieuwste technieken om ze te vinden en te vergroten. Ik glimlachte. Steve was een stuk jonger dan Levesque. Dit was zijn eerste baan en hij werkte hier nog maar een paar jaren. Ik had hem altijd gezien als een groentje. Maar hij nam zijn werk heel serieus en hij leerde voortdurend bij. Dit boek was daar het bewijs van.

Achter mij zwaaide een deur open. Ik draaide me om. Het was Steve.

'En?' zei ik. Ik probeerde achteloos te klinken, alsof ik niet had lopen rondneuzen. 'Wat heb je ontdekt?'

'Misschien moet ik dat aan jou vragen,' zei hij terwijl hij achter zijn werktafel ging staan om zijn computerscherm te checken. Hij leek opgelucht door wat erop stond. 'Ik heb ontdekt wat ik eigenlijk ook verwachtte. Jouw vingerafdrukken komen niet overeen met de vingerafdrukken die ik op de staaf...'

Aha. Dus het voorwerp waarmee het raampje van mijnheer Greens auto was ingeslagen, was een soort staaf.

'Hoe weet je dat het raampje is ingeslagen met de staaf die je hebt gevonden?' vroeg ik.

'Niet weer, hè, Chloe,' zei hij.

'Ik zal het aan niemand vertellen.'

Hij gluurde rond alsof hij half verwachtte dat Levesque elk moment achter de gesloten deur vandaan zou kunnen springen.

'Steve, ik ben onschuldig, weet je nog wel? Ik ben ook hartstikke nieuwsgierig. Hoe heb je die staaf in verband gebracht met de inbraak?'

'Ik heb ze onder een struik vlak bij het parkeerterrein gevonden,' zei hij. 'Het is een zwarte metalen staaf. Ik heb op een paar glasscherven in de auto schilfertjes zwarte verf gevonden.'

'Maar die scherven waren minuscuul.'

'Nu onderschat je me toch, hoor,' zei hij. 'Ik weet heus wel hoe ik met een microscoop moet werken.' Toen ik verbaasd keek, zei hij: 'Dit is misschien een klein corps, maar we zijn allemaal professionals.' Ik denk niet dat ik het me verbeeldde; hij leek echt een beetje te groeien toen hij dat zei.

Ik trok de plastic zak die ik bij me had open en haalde er voorzichtig het flesje uit.

'Ik ben er zeker van dat er hier een paar goeie vingerafdrukken op staan,' zei ik. 'En ik denk dat de persoon van wie de vingerafdrukken zijn, iets te maken heeft met die inbraak.'

Hij keek naar de fles. Zijn lippen trilden. Ik zag dat hij zijn lach bijna niet kon inhouden.

'Wat?' zei ik verontwaardigd.

'Ik denk dat je een beetje te veel tv hebt gekeken.'

'Toe nou, Steve. Iemand heeft me flink te grazen genomen.'

Hij keek weer naar het flesje. 'Je wilt dat ik het op vingerafdrukken controleer? Dat ik kijk of iets vind dat overeenkomt met de afdrukken op het flesje?'

Ik knikte.

Hij dacht even na. 'Ach, waarom ook niet,' zei hij uiteindelijk. 'Ik word verondersteld dit onderzoek te leiden. En dit maakt deel uit van het onderzoek.'

Ik zette het flesje op zijn werktafel, bedankte hem en ging terug naar school.

Na de les stond Davis tegen een rij kastjes in de gang waar de bibliotheek op uitkwam.

'Je bent te laat,' zei hij.

'Twee minuten,' zei ik. 'Jij bent vierentwintig uur te laat.'

Hij haalde zijn boekentas van zijn rug, rommelde er even in en haalde een bundeltje papieren tevoorschijn. Hij gaf het aan mij.

'Wat is dit?' vroeg ik.

'Een analyse van de sociale problematiek in *Spartacus*,' zei hij. 'Slavernij. De menselijke zoektocht naar vrijheid, zelfs ten koste van hun leven. Het effect dat rebellie, zelfs een mislukte opstand kan hebben op de maatschappij. Dat soort dingen.'

Ik las de bladzijden diagonaal. Bijna tien bladzijden, getypt.

'Dat levert ons een A op, zeker weten,' zei hij. 'Je mag er je naam bijzetten.'

'Ik wil mijn naam niet zomaar op *jouw* werk zetten. We worden verondersteld hier samen aan te werken.'

'Nou ja,' zei hij. 'Je kunt het misschien nog een beetje aanvullen.' Hij keek op zijn horloge. 'Zijn we klaar?'

'Ja,' zei ik. 'Ik denk het.'

Toen hij weg was, bleef ik in de bibliotheek en las ik wat hij me had gegeven. Het klonk behoorlijk goed. Te goed, misschien.

Na mijn afspraak met Davis liep ik nog even binnen in de redactiekamer. Een van de computers daar heeft een internetaansluiting. Die moest ik hebben. Ik wachtte geduldig tot Eric had opgezocht wat hij aan het opzoeken was. Toen ging ik zitten, ging naar mijn favoriete zoekmachine en tikte de woorden in die ik een paar dagen eerder ook had ingetikt. Het duurde niet lang om te vinden wat ik zocht.

Ik liep de school uit toen ik Daria zag. Ze stond naast de hoofdingang en keek de gangen in alsof ze op zoek was naar iemand. Ze rechtte haar rug toen ze me zag en kwam op me toegelopen. Ik keek over mijn schouder om te zien of er iemand achter me was. Niemand. Ze kwam recht op mij af. 'Hoi,' zei ze. Ze leek nerveus, wat mij meteen argwaan deed krijgen.

Misschien had ik tenminste moeten proberen om vriendelijk te klinken. Misschien zou ik vriendelijk zijn geweest als ze de laatste maanden niet had gedaan alsof ik lucht was en het niet zo duidelijk had gemaakt dat ze me het liefste onder een bus terecht had zien komen.

Als antwoord op haar bibberige 'Hoi,' zei ik: 'Wat moet je?' Je zou kunnen zeggen dat ik het meer snauwde dan zei.

Een van Daria's voeten schuifelden terug naar achteren. De andere bleef stevig op zijn plaats. Het leek wel of ze niet kon kiezen of ze nu zou blijven of weggaan.

'Je hoeft niet altijd zo uit de hoogte te doen,' zei ze.

Uit de hoogte? Ik? Wie van ons tweeën had de vorige maanden met haar neus in de lucht gelopen?

'Is het dat? Is dat alles wat je te zeggen hebt?' zei ik. Daria had nog een grotere hekel aan me dan ik dacht, als het eerste wat ze na maanden koude oorlog tegen me zei, weer kritiek was. En eigenlijk... 'Jij bent het, hè?' zei ik.

Nu schuifelden haar twee voeten naar achteren.

'Wat?'

'Iemand probeert me in de nesten te werken. Dat ben jij, hè?'

Ik zou geen heftiger reactie hebben gekregen als ik haar een mep in haar gezicht had gegeven.

'Jij denkt dat je alles weet,' zei ze. Haar zenuwen waren als sneeuw voor de zon verdwenen. En haar weifelende stemmetje ook. 'Jij denkt dat je beter bent dan de rest. Nou, jij weet helemaal niks en je bent geen haar beter.'

Ze draaide zich om en vloog de gang in. Ik riep haar bijna terug. Ik was er zeker van dat ze niet had gezegd wat ze van plan was geweest. Ik had moeten luisteren voor ik iets zei. Ik had moeten voorstellen om rustig te gaan praten. Ik had haar moeten voorstellen om haar op een sapje te trakteren.

Ik liep binnen op de redactie van de *Beacon*, omdat er een klein kansje was dat Davis daar zou zijn. Maar hij was er niet. Ik liep naar zijn huis… en had geluk.

Ik zag hem meteen toen ik Centre Street kwam uitgelopen. Hij was halfweg Macdonald Avenue, op de oprit van zijn grootmoeder. Hij was niet alleen. Er was een man bij hem. Toen ik dichterbij kwam, herkende ik hem. Het was die kerel die ik die zaterdag dat ik aan mijn werkstuk voor geschiedenis had gewerkt, had gezien. Maar ik kende zijn naam niet. Hij stond met zijn gezicht naar mij toe. Davis met zijn rug. De man die ik niet kende, gaf iets aan Davis. Het zag eruit als een of andere envelop. Davis deed hem open en trok er iets uit. Hij keek ernaar en zei toen iets. Aan zijn gespannen lichaam en de manier waarop hij gesticuleerde, zag ik dat hij het niet eens was met de man. Ik stond een paar huizen verder toen de man Davis met zijn vinger tegen Davis' schouder pookte. Hij keek boos. Hij pookte nog een paar keer op Davis' schouder, draaide zich toen om en liep de straat op, in de tegenovergestelde richting van waar ik stond. Die goeie ouwe Davis – hij maakte overal in de stad goeie vrienden.

Ik kwam net bij de oprit toen Davis in de garage verdween. Goed geprobeerd. Als hij mij wilde ontwijken, zou hij het land moeten verlaten. Ik rende de oprit op en duwde het kleine deurtje waar Davis door was verdwenen open. Ik vond hem binnen. Hij zat met zijn knieën op de betonnen vloer voor de auto. Ik besefte niet meteen dat hij iets zat te verbranden.

'Hier,' zei ik en ik haalde een stapel papieren uit mijn zak. Het was de analyse die Davis me op school had gegeven. 'Steek dat ook maar in het vuur.'

Davis draaide zich om. Zijn verbijsterde blik deed me glimlachen.

'Ik zou toch maar voorzichtig zijn met die vlammen,' zei ik. Stukjes brandend papier zweefden in de lucht. Hij staarde naar het vuurtje, maar deed niets om het in bedwang te houden. Ik ving een glimp op van het blad papier dat niet helemaal opgebrand was. Het leek wel een foto.

'Wat doe jij hier?' snauwde hij.

'Ik vond dat ik het jou moest vertellen voor ik ermee naar juffrouw Peters ging,' zei ik.

'Wat vertellen? Waar heb je het over?'

'Je bent een bedrieger, Davis.'

Hij glimlachte en schudde zijn hoofd. 'Ik denk dat je de rollen omdraait,' zei hij. 'Jij bent de bedrieger. Ze hebben je op heterdaad betrapt, weet je nog wel?'

'En nu zul jij betrapt worden. Denk je dat juffrouw Peters achterlijk is of zo?'

'Ik weet niet wat je bedoelt.'

'Juist. Straks ga je me nog vertellen dat je deze zogenaamde analyse zelf hebt geschreven.'

Dat moest ik hem nageven, hij bleef glimlachen alsof er geen vuiltje aan de lucht was.

'Jij denkt misschien dat je in een boerengat vol dorpsidioten bent beland, Davis. Maar we hebben heus al van het internet gehoord, hoor. Ik weet hoe ik iets op het net moet opzoeken. En ik heb een heel goed geheugen voor wat ik heb ontdekt.'

Nog steeds geen reactie.

'Je hebt dit van het internet,' zei ik. 'Ik weet precies waar je dit hebt gevonden en ik kan het laten zien aan juffrouw Peters.'

'Haar wat laten zien?' zei hij. 'Dat ik het internet heb geraadpleegd? En wat dan nog?'

'Dat je het probeerde te laten lijken alsof het allemaal uit je eigen koker komt.'

'Oh ja?'

Hij was niet uit zijn lood te slaan.

'Davis, jij hebt dit aan mij gegeven en gezegd dat je het zelf had gemaakt.'

Hij trok één gouden wenkbrauw op. 'Volgens mij heb ik nooit gezegd dat het mijn werk was. Ik zei dat het een analyse van *Spartacus* was en dat is het ook.'

'Jij zei dat ik er mijn naam op mocht zetten als ik wilde.'

'Ik dacht dat jij het altijd zo aanpakte, ik heb je namelijk bezig gezien in de klas van mijnheer Green, weet je nog wel?' zei hij. 'Dat dacht ik dan verkeerd, sorry.'

Ik geloof niet in geweld. Toegegeven, ik had hem één keer een por gegeven. Daar had ik spijt van en niet alleen omdat ik bang was dat ik er problemen mee zou krijgen. Ik had er spijt van omdat geweld niks oplost. Maar op dat ogenblik wou ik dat ik het type was dat een keiharde vuist kon maken en iemand knock-out sloeg. Davis wist echt niet van ophouden.

'Ik wil niet meer met jou samenwerken,' zei ik. Ik klonk waarschijnlijk als een klein kind: *ik wil niet meer met jou spelen.*

Hij haalde zijn schouders op. 'Ik heb juffrouw Peters niet bepaald gesmeekt om me bij jou in een team te zetten. Als je problemen met me hebt, moet je er maar iets tegen doen.'

'Ik ga zelf een analyse schrijven en die dien ik in,' zei ik. 'Dus je doet er zelf maar een of niet. Maakt me niet uit.'

Hij staarde me een ogenblik aan. Hij vertoonde geen spoor van emotie. Het leek hem allemaal geen ene moer te interesseren.

'Zijn we hier klaar?' zei hij.

'Hier, daar en overal.' Op de oprit kruiste ik Sarah. Ze had niet verbaasder kunnen kijken als ze Dracula in hoogst eigen persoon uit de garage van Davis had zien komen. Ze keek me na tot op straat. Toen ging ze Davis zoeken.

'Weet je zeker dat je niet mee wilt komen?' zei Levesque tijdens het avondeten.

'Heel zeker,' zei ik.

'Phoebe komt wel mee,' zei hij. 'Ik ga haar na schooltijd oppikken. Tegen de avond zijn we in Toronto. Je moeders trein komt om tien uur aan. We blijven daar slapen. Ik heb zaterdag nog een paar afspraken...'

'Oh,' zei ik. 'Dus het is een zakenreis.'

'Voor een deel wel,' gaf hij toe. 'Ik moet een paar dingen checken.'

'Dingen over Stanley Meadows?'

Hij knikte. 'Kom toch mee. Je zult het best naar je zin hebben.'

Ik schudde mijn hoofd. Ik had een boekbespreking voor Engels en ik moest ze helemaal alleen doen. Juffrouw Peters zou allesbehalve gelukkig zijn met de situatie, vooral omdat ze me het heel duidelijk had gemaakt dat ik maar moest zien op te schieten met Davis. Als ik nog een paar punten bij elkaar wilde sprokkelen voor dit werkstuk, moest het super de super zijn.

'Ik heb te veel werk,' zei ik. 'Maak je maar geen zorgen, ik red me wel.' Toen hij nog steeds ongelukkig keek, voegde ik eraan toe: 'Ik zal eens langsgaan bij Ross, zelfs bij zijn moeder, als je dat wilt.' Toen hij nog steeds niet gerustgesteld was, zei ik: 'Ik ben geen kind meer.' En uiteindelijk: 'Ik zal Steve bellen met een stand van zaken, oké, en dan kun jij hem bellen. Maar ik kan het me niet permitteren om dit weekend naar Toronto te gaan. Echt niet.'

Dat ik Steve erbij haalde, trok hem over de streep. Hij knikte. 'Maar nog één ding,' zei hij.

Kreun. Nu kwam er een voorwaarde aan, dat voelde ik gewoon.

'Ik ben hier de hoofdcommissaris,' zei hij.

'Ja, én?'

'Dus ik ben degene die beslist hoe het onderzoek naar de moord wordt gevoerd,' zei hij.

Ik stuurde hem mijn beste 'ik-weet-niet-waarover-je-het-hebt' blik. Zoals gewoonlijk werkte hij niet.

'Heb je me gehoord, Chloe?' zei hij.

'Je weet het van de vingerafdrukken, hè?'

'Zoiets gebeurt niet meer, begrepen, Chloe?'

Zucht. 'Oké, beloofd. Maar ik kon het niet laten, ik vroeg: 'En hebben ze nog iets ontdekt?'

'Over?'

Hij hield zijn gezicht in de politieplooi, waar je onmogelijk van af kon lezen wat hij dacht en ik moet toegeven dat ik daar gek van werd. Misschien wist hij alleen dat ik Steve mijn vingerafdrukken had laten nemen. Misschien wist hij niet dat ik die van Sarah ook had gegeven. Moest ik nu aandringen of niet?

'Laat maar,' zei ik.

'Als Steve bij je langskomt, gedraag je je, begrepen?' zei Levesque.

Dubbele kreun. 'Komt Steve me nu ook al controleren?'

Ik kon het niet bewijzen, maar ik zou gezworen hebben dat er een grijns onder Levesques borstelige snor verscheen. Oké, goed. Als het dat was wat hij wilde, zou hij het krijgen ook. Daar kon ik niks aan veranderen. Maar dan ook helemaal niks.

'Ik meen het, Chloe. Je mag hem niet meer opzadelen met irrelevante vingerafdrukken of wat dan ook.'

'Ik heb je gehoord.'

'Weet je 't zeker?'

Toen drong het tot me door. Irrelevante vingerafdrukken. Sarah's vingerafdrukken. Ze kwamen niet overeen met de afdrukken die Steve op de staaf had gevonden.

Toen waren er nog maar drie.

11

De volgende dag veranderde de ochtend die zo gewoon was begonnen in sneltreinvaart in een nachtmerrie.

Het gewone deel van de ochtend: ik stond op, kleedde me aan, dronk een grote kop sterke koffie terwijl ik een bagel roosterde, zocht mijn schoolspullen bij elkaar, hing mijn boekentas op mijn rug en liep naar school. Onderweg haalde ik Ross op en we kletsten over van alles en nog wat – ik kreeg het laatste nieuws over de respons op de enquête te horen. Het verbaasde me dat de leerlingen geïnteresseerd genoeg waren om de enquête in te vullen en in de bus in de redactiekamer te komen stoppen. Toen ik op school aankwam, had ik nog tijd om mijn rugzak op de vloer voor mijn kastje te zetten en mijn boeken in volgorde te rangschikken. Ik zag overal affiches van de schoolfuif van vanavond hangen. Ik zag ook dat Sarah Moran naar me keek alsof ik een kakkerlak of een ander griezelig insect was. Misschien had Davis haar niet verteld wat ik bij hem in de garage deed. Misschien dacht ze dat ik hem van haar probeerde af te snoepen. Stel je voor. Ik negeerde haar maar.

Ik begon mijn boeken in volgorde te brengen voor mijn lessen van de ochtend. Toen was er verderop in de gang een opstootje – twee jongens die aan elkaar stonden te duwen en te trekken. Ik ging een beetje dichterbij om te kijken wat er aan de hand was. Ik kon het niet helpen. De school was niet bepaald de spannendste plek op aarde, dus als er dan eens twee Neanderthalers op de vuist gingen, wilde ik daar natuurlijk bij zijn. Trouwens, het was altijd leuk om mijnheer Moore, één van de adjunct-directeuren, met een gezicht als een boei en op elkaar geklemde kaken de gang in te zien stormen, klaar om weer orde op zaken te stellen. Hij gedroeg zich als een smeris van tv – 'Oké, mensen, doorlopen, er valt hier niks te zien,' – en deelde nablijf-formulieren uit aan de jongens. Ik liep terug naar mijn kastje. Een stukje verderop in de gang stond Daria tegen Rick aangeplakt. Ze zei iets tegen hem en zag er niet gelukkig uit. Rick keek verveeld. Problemen in Liefdesland? Een mens mag altijd hopen, hè? Toen ging de bel en was het *weer* tijd voor de ultieme verveling.

De gewone ochtend verandert in een nachtmerrie: Dit speelde zich af zoals een treinramp in slowmotion. Het begon – waar anders? – in de klas van mijnheer Green.

In de eerste twee minuten van een les komen de mensen binnen, lopen ze naar hun tafel, kletsen ze nog wat met elkaar. Dat kan wat minder lang of wat langer duren, afhankelijk van of de leraar al in de klas is of niet. In dit geval was hij er nog niet. Rick zat op Daria's tafel met haar te praten. Hij zat niet te glimlachen zoals anders. En hij was constant aan het woord op een zachte klaaglijke toon. Ik wist niet waar hij het over had en ik maakte mezelf wijs dat het me ook niet kon schelen. Maar het kon me wel schelen, omdat het klonk alsof hun relatie in een dieptepunt zat.

Ik wist dat het niet aardig van me was, maar als de woorden 'Rick' en 'probleem' in dezelfde zin voorkwamen en het Rick was die een probleem had, dan was mijn dag goed. Je moet blij zijn met de kleine pleziertjes die het leven je gunt, toch?

Waar Rick was, vond je Brad. Vanochtend stond hij aan de andere kant van Daria's tafel. Daria keek me niet aan. Sarah stond naast mijn tafel met Davis te praten. Davis hing als een zoutzak op zijn stoel, zoals altijd helemaal in het zwart gekleed en had zijn zonnebril op, ook al had hij misschien al een miljoen keer te horen gekregen dat dat niet mocht op school. Sarah klonk overstuur over iets. Ik hoorde haar het woord 'fuif' zeggen. Er was die avond een schoolfuif. Het klonk alsof ze wilde dat hij meeging. Het klonk alsof hij daar nog eens diep over na moest denken.

Ik liet mijn boeken op mijn lessenaar ploffen en ging zitten. Mijnheer Green kwam binnen. Iedereen liep naar zijn plaats. Mijnheer Green liep tussen de rijen tafels om de werkstukken op te halen die vandaag af moesten zijn. Iemand achter me maakte een onbeschoft geluid. Ik draaide me, net zoals bijna iedereen, om. En toen gebeurde er dit. Ik weet niet wie het had gedaan, ik had het niet gezien. Het kon Rick of Brad of Sarah zijn geweest. Het kon zelfs Daria zijn geweest. Zij had het met haar elleboog kunnen doen. Of misschien was het niemand zijn schuld. Misschien had ik mijn boeken te dicht tegen de rand van mijn tafel gelegd. Wie of wat er ook verantwoordelijk voor was, dit was het resultaat: twee cursussen en twee mappen vielen op de grond op het ogenblik dat mijnheer Green in mijn rij kwam. Losse bladen gleden alle kanten op. Toen ik opsprong om ze weer op te rapen, keek mijnheer Green naar mijn spullen, die voor zijn voeten lagen uitgespreid. Ik weet het niet zeker – dat zijn van die dingen waar je nooit zeker van bent – maar het leek of precies op hetzelfde ogenblik dat ik, 'Hé, hoe komt dat nu?' dacht, hij 'aha!' dacht.

We bukten ons op precies hetzelfde ogenblik. Als ik halverwege niet opnieuw overeind was gekomen, zouden we net een scène uit een slechte soap hebben gespeeld. Je weet wel, twee personages die zich bukken om hetzelfde op te rapen en dan met hun hoofden tegen elkaar knotsen. Ook al kwamen we fysiek niet met elkaar in botsing, toch was het onafwendbaar dat de trein die mijnheer Green was de trein die ik was, keihard zou rammen. Mijn leven zou zo meteen van de rails slingeren en daar was helemaal niks meer aan te doen.

Mijnheer Green kwam langzaam weer overeind. Hij staarde naar het netjes getypte en geniete stapeltje papier in zijn handen. Toen keek hij mij aan.

De woorden lagen op mijn lippen: *Ik heb niks misdaan.* Ik slikte ze weer in. Hij zou me nooit geloven. Ik keek de klas rond om te zien of iemand begreep wat er net was gebeurd. Sommige mensen hadden niet in de gaten wat er aan de hand was. Degenen die het wel hadden gezien, waren in twee groepen verdeeld. Eén groep leek te weten dat er net iets was gebeurd, maar wisten niet goed wat. Een andere, kleinere groep mensen die dicht genoeg bij mij zat om de bladzijden te bekijken voor mijnheer Green ze opraapte, wist precies wat er net was gebeurd en vroeg zich af wat er nu zou gebeuren. Daria bleef recht voor zich uit kijken. Rick grijnsde naar mij. Brad ook. Davis had niet bewogen. Hij hing nog steeds op zijn stoel en verborg zijn ogen achter zijn zonnebril. Sarah staarde me aan.

Sarah.

Sarah, van wie het kastje recht tegenover dat van mij stond.

Sarah, die een hekel aan me had.

Sarah die me vanochtend nog een vernietigende blik had gestuurd toen ze bij haar kastje stond.

Sarah, die toen ik naar het gevecht in de gang was gaan kijken, de kans had gehad om dat bundeltje papieren in mijn map te stoppen.

Sarah, die een voorraad paarse balpennen had, die ze nooit gebruikte. Toegegeven, haar vingerafdrukken stonden niet op de staaf die Steve Denby had gevonden. Wie zei dat de vingerafdrukken die hij op de staaf had gevonden van de inbreker waren? Misschien had Sarah die auto-inbraak even slim als haar studies aangepakt. Misschien had ze handschoenen gedragen.

Ik griste mijn spullen van de vloer en liep naar de deur.

'Waar denk jij dat je naartoe gaat?' schreeuwde mijnheer Green me na.

Waar dacht hij dat ik naartoe ging?

Ik ging naar het secretariaat. Toen ik daar aankwam, haalde hij me in.

'Ik snap jou niet,' zei hij. We stonden in de gang aan het secretariaat. 'Waarom doe je mij dit allemaal aan?'

Ik keek hem aan. Zijn gezicht zat onder de rode vlekken. Zijn ogen blonken. Als het iemand anders dan mijnheer Green was geweest, zou ik hebben gezworen dat hij op het punt stond om in huilen uit te barsten. Ik overwoog om te antwoorden, maar wat kon ik zeggen, behalve wat ik al zo vaak had gezegd? Ik ging het secretariaat binnen en ging op de bank zitten. Hij volgde me en praatte met juffrouw Jeffries. Ik weet niet wat hij zei. Ze verdwenen in haar kantoor. Ze leken daar eindeloos lang te blijven. Toen mijnheer Green eindelijk weer tevoorschijn kwam, keek hij me niet aan. Ik wachtte tot juffrouw Jeffries me zou binnenroepen en me van school zou sturen. Maar toen gebeurde er iets vreemds.

Daria kwam het secretariaat binnen. Ze liep naar de balie en vroeg met een zachte, kalme stem aan een van de secretaresses of ze juffrouw Jeffries alsjeblieft kon spreken.

'Het is belangrijk,' zei ze.

Terwijl de secretaresse de hoorn van de haak nam en naar juffrouw Jeffries' kantoor belde, draaide Daria zich naar mij. Ze zei niks. De secretaresse zei dat ze naar binnen mocht. Daria liep om de balie heen en liep naar het kantoor van de directrice. De deur ging achter haar dicht. Toen ze ongeveer tien minuten later weer naar buiten kwam, was juffrouw Jeffries bij haar.

'Ik denk dat je nu wel terug naar je klas kunt, Chloe,' zei ze.

'Maar wat…?'

'Jij kunt ook gaan, Daria. Ik spreek je later nog wel.'

'Ja, maar…' zei ik.

Te laat. Juffrouw Jeffries was alweer op weg naar haar kantoor. Toen ze langs de secretaresse kwam, zei ze: 'Vraag aan mijnheer Green of hij even bij me langskomt als hij een momentje heeft.'

Daria was het eerste bij de deur. Ze hield ze voor mij open.

'Ik heb haar verteld dat ik het heb gedaan,' zei ze toen we de gang uitliepen.

Wow! Ik bleef staan en staarde haar aan. Iedereen zat al in de volgende les. De gang was verlaten.

'Wil je nu beweren dat jij hebt ingebroken in de auto van mijnheer Green?'

Ze keek me vermoeid aan. 'Natuurlijk niet. Zo dom ben ik nu ook weer niet,' zei ze. 'Ik heb juffrouw Jeffries verteld dat ik het dossier van mijnheer Green tussen het afval heb gevonden en in jouw map heb gedaan.'

'Waarom zou je zoiets doen?'

'Voor de grap. Omdat iedereen denkt dat jij het op mijnheer Green gemunt hebt. Dus toen ik dat dossier vond, heb ik het tussen jouw spullen gestopt. Ik vond het wel grappig.' Ze keek schuldbewust. 'Het was een superstomme zet,' zei ze. Ze sprak die woorden uit alsof ze een paar lijnen uit een toneelstuk stond te debiteren.

Het was een interessant verhaal, maar het klopte niet. Als ze dat gestolen dossier tussen mijn spullen had verstopt om me die inbraak in de schoenen te schuiven, waarom had ze dan opeens beslist om die vuile streek te gaan opbiechten bij de directrice, ook al had ze de helft verzwegen? Waarom was ze überhaupt iets gaan opbiechten? Niemand verdacht haar, behalve ik misschien. En er kon zeker niemand bewijzen dat ze ook maar iets had misdaan. Ik was niet op de hoogte van alle details, maar daar durfde ik mijn hand voor in het vuur te steken.

'Je had er eigenlijk helemaal niks mee te maken, hè, Daria?'

'Hé, jullie daar!' Mijnheer Moore beende adjunct-directeurderig op ons toe. 'Waarom zijn jullie niet in de klas?'

'We komen net van het kantoor van de directrice,' zei Daria.

'Als de wiedeweerga naar jullie klassen,' zei hij. 'Nu!'

Daria spurtte naar de trap om naar haar volgende les te gaan. Mijn klas lag in de tegenovergestelde richting. Ik ontplofte bijna van de spanning, maar toch zou ik moeten wachten voor ze mij meer uitleg kon geven.

Mijnheer Moore had Daria gewoon naar haar volgende les gestuurd, maar het voelde alsof hij haar naar Pluto had verbannen. De rest van de ochtend speurde ik alle gangen af op zoek naar een glimp van haar, maar ze was nergens te bekennen. De hele lunchpauze zocht ik haar, eerst in de cafetaria, toen in de gangen, vervolgens op het schoolplein en uiteindelijk in de stad.

Ik was bijna te laat voor mijn eerste les van de middag. Ik stond mijn boeken in mijn kastje op te bergen, toen Phoebe me riep.

'Papa wil je spreken,' schreeuwde ze door de gang. 'Hij zit buiten in de auto.'

Er was bijna niemand in de gang. Niemand keek zelfs maar op, maar ik vond het toch maar niks dat Phoebe zo had gebruld. Ik leek wel een klein kind: *pappie wil met je praten*. Ik volgde haar naar het parkeerterrein, waar Levesque in zijn auto zat.

'Hier is het telefoonnummer van het hotel,' zei hij. Hij gaf me een opgevouwen stukje papier. 'En je hebt het nummer van mijn mobieltje, hè?'

Natuurlijk had ik zijn nummer. En hij had het andere nummer op het aanplakbord van het gezin – de koelkast – kunnen hangen. Er was nog iets anders.

'Zorg ervoor dat je je niet nog meer problemen op de hals haalt,' zei hij. 'Hoe verleidelijk dat ook mag zijn.'

Hij deed alsof ik nog meer problemen even onweerstaanbaar vond als een doos bonbons, terwijl ik nog meer problemen gelijkstelde aan een jaar lang nablijven op vrijdag, iets wat je koste wat kost wilde vermijden.

'Ik ga nu naar de redactiekamer,' zei ik tegen hem. 'Dan ga ik naar huis en ik heb het hele weekend nodig om mijn huiswerk te maken.'

'Ga je niet naar de schoolfuif?' vroeg Phoebe. Als je haar stem op papier kon zetten, zou je twee uitpuilende ogen en een mond in de vorm van een grote O tekenen. Phoebe zou de schoolfuif voor geen geld van de wereld willen missen. Ze was van plan om er met een hele resem vriendinnen naartoe te gaan, maar ze had zich bedacht toen ze de kans kreeg om naar Toronto te gaan.

Ik, daarentegen, was niet van plan geweest om ernaartoe te gaan en was dat nog steeds niet van plan. Ik haatte schoolfuiven. Ten eerste dans ik niet graag. En ten tweede, als ik al de behoefte voelde om met iemand te dansen, zou ik dat zeker niet doen terwijl er een hele ploeg leraren op stond te kijken. En ten derde was het op elke schoolfuif waar ik naartoe was gegaan, hetzelfde liedje geweest: jongens die sterkedrank probeerden binnen te smokkelen, minstens één meisje dat hysterisch zat te huilen in de toiletten omdat haar vriendje of net ex-vriendje of de jongen die ze als vriendje wilde, naar een ander meisje zat te lonken en minstens één leraar die zich uitsloofde om cool over te komen, wat sowieso onbegonnen werk was. Al die dingen kon ik missen als kiespijn.

'Nee, ik ga niet naar de fuif,' zei ik tegen Phoebe. 'Misschien huur ik een paar video's.'

Tenminste, dat was ik van plan.

12

Ik keek de auto van Levesque na tot hij van het parkeerterrein was verdwenen. Nu was ik alleen. Voor het eerst sinds ik me kon herinneren, was ik helemaal alleen thuis. Niet voor een paar uur, maar voor een paar dagen. Ze zouden pas zondag terugkomen. Lang genoeg om me te laten wensen dat ik een miljoen vrienden had en dol was op fuiven. Nou ja.

Ik liep terug naar school om Ross te gaan zoeken. Nu ik het hele weekend voor mezelf had en niemand over mijn schouder meekeek wat ik deed of me vroeg waar ik naartoe ging en wanneer ik van plan was om weer thuis te zijn, zou het zonde zijn om niet tenminste een beetje lol te maken. Misschien had Ross wel zin om samen iets te doen.

'Wat dan?' vroeg hij.

'Weet ik niet. Naar de bioscoop, misschien?'

Er speelden twee films in de bioscoop. De ene had Ross al gezien. De andere was de laatste van Disney.

'Daar krijg je me met geen stokken naartoe,' zei hij.

Alsof ik daar zelf zo op uit was.

'We kunnen gaan wandelen,' zei hij. Hij trok graag de natuur in.

'Oké.' Ik begon daar ook steeds meer van te genieten. 'Morgen of zo?'

'Morgen is prima. Morgenmiddag rond twaalf uur bij de ingang van het park?'

Ik stond al bijna bij de deur van de redactiekamer toen Ross zei: 'Ga jij vanavond naar die fuif?'

Het woord dat onmiddellijk bij me opkwam was NEE. Het woord dat uit mijn mond ontsnapte, was: 'Waarom?'

Hij haalde zijn schouders op. 'Ik vroeg het me gewoon af.'

'Met wie zou ik dan moeten gaan?' vroeg ik. 'Met Rick Antonio?'

'Ik had eigenlijk wel zin om te gaan,' zei Ross.

Ross op de dansvloer. Ik probeerde het me voor te stellen. Hij is een leuke jongen. Een hele leuke jongen zelfs. Maar als ik me Ross op de dansvloer probeer voor te stellen, zie ik een snede brood huppelen die hip wil overkomen.

'Met wie ga jij?' vroeg ik. Sinds Tessa Nixon had hij nog in niemand anders interesse getoond.

Hij haalde zijn schouders op. 'Niemand,' zei hij. 'Het leek me gewoon leuk.'

'Nou!' snoof ik. 'Ik kan ook echt niks leukers bedenken dan de drie belangrijkste voedselgroepen bezig te zien op een schoolfuif.'

'De drie belangrijkste voedselgroepen?'

'De mensen die elkaar bepotelen, de mensen die niks liever willen dan iemand bepotelen en de mensen die klagen en zagen omdat iemand anders hun favoriete bepotelmaatje bepotelt. Nee, bedankt. Veel plezier, Ross!'

Om van de redactiekamer naar de uitgang te gaan, moest ik langs de sportzaal. Een van de deuren stond op een kier. Toen ik er voorbijkwam, zag ik een groepje mensen de zaal versieren voor vanavond. Ik bleef staan en vroeg me af of Daria er ook bij was. Zij leek mij echt het type dat sportzalen versierde. Toen drong het tot me door. Haar bekentenis had haar waarschijnlijk een keertje nablijven opgeleverd. Ik keek op mijn horloge. Als ze nu haar straf uitzat, zou ze over een paar minuten hier zijn. Ik liep naar de klas op de tweede verdieping waar de nablijvers zaten.

Ze was leeg.

Achter me hoorde ik iets. De deur van de meisjestoiletten aan het einde van de gang klikte dicht. Daria? Ik haastte me ernaartoe. Er was daar wel degelijk iemand. Ze huilde. Gut, wat is dat toch met die meisjestoiletten? Ik wed dat jongens op hun toilet nooit tranen met tuiten zitten te huilen.

Toen ze de deur hoorde opengaan, draaide Sarah er zich met haar rug naartoe en draaide de koudwaterkraan driftig open. Toen boog ze zich voorover en depte ze water op haar gezicht. Ik denk dat ze haar tranen probeerde te verbergen. Maar het kraantjeswater veranderde niet veel aan haar gezwollen ogen.

Nu kon ik dus twee dingen doen. Eén: me omdraaien en weggaan en haar in haar verdriet laten zwelgen. Of twee: heel bezorgd en medelijdend zijn en vragen wat er aan de hand was. Alsof we vriendinnen waren. Alsof ik bezorgd om haar was.

Ik haat dat soort beslissingen. Ik haat het als je weet wat je zou *moeten* doen, het goede, het nobelste, maar dat dat het laatste is wat je *wilt* doen. Ik zuchtte.

'Alles goed, Sarah?'

'Ga weg.'

Haar antwoord gaf me de toestemming om zonder gewetenswroeging weg te gaan, toch? Ik had geprobeerd om vriendelijk te zijn en ze had me afgewezen.

Maar het sleutelwoord was 'geweten'. Mijn probleem is dat ik er eentje heb. En Sarah's ogen waren zo opgezwollen als wat. Er druppelde water – tranen of kraantjeswater of een mengeling van de twee – van haar wangen en haar kin.

'Wil je erover praten?'

Haar gezwollen ogen waren spleetjes geworden. Ze waren niet meer rood, maar knalrood.

'Je hebt je niet met *mijn* leven te bemoeien,' zei ze. Ze probeerde een papieren servet uit de houder aan de muur bij de wasbak te prutsen, maar die was kapot of leeg. Ze depte haar gezicht droog met de palm van haar hand. 'Ik moet terug naar de sportzaal.'

Mij best. Nu had ze me echt een vrijbrief gegeven. Mijn hulp was niet gewenst. Ik kon niks meer doen. Behalve: 'Wat is dat eigenlijk met jou?' zei ik. Ik liet mijn woede de vrije loop, niet meteen verstandig, natuurlijk. Maar ze had me onrechtvaardig behandeld. Wat ik ook deed, ze bleef me onrechtvaardig behandelen, hoe vriendelijk ik ook probeerde te zijn. 'Wat heb ik je eigenlijk misdaan?'

Ze begon opnieuw te huilen. Ze snotterde zelfs. Geen fraai gezicht.

'Het is al goed, het is al goed, het *spijt* me,' zei ik.

'Nee,' zei ze. 'Het spijt *mij*. Ik had iets moeten doen.'

Hè?

Ze verdween op een van de toiletten en ik hoorde het tsik-tsik van een paar velletjes extra strong toiletpapier die uit hun metalen houdertje werden gerukt. Ze kwam weer naar buiten en droogde haar tranen. Dat zou nog zijn gelukt, als ze niet nog steeds verder huilde.

'Het is Davis,' zei ze.

'Davis is een zeikerd,' zei ik. 'Hij is je tranen niet waard.'

Haar onderlip begon te trillen.

'Hij is *soms* een zeikerd,' zei ze heftig. Ze snufte. Toen ze weer iets zei, klonk haar stem zo zacht als die van een katje van een week oud. 'Ik maak me zorgen om hem.'

'Je geeft echt om hem, hè?'

Ze knikte. Over smaak valt dus echt niet te redetwisten.

'Je zei dat het je speet, Sarah. Waar heb je spijt van?'

Ze depte haar ogen met het doordrenkte toiletpapier.

'Ik heb jouw handschrift op die spiekbrief nagebootst,' zei ze. De woorden tuimelden uit haar mond, alsof ze ze naar buiten duwde en blij was dat ze ervan verlost was. Misschien had Levesque gelijk. Misschien wilden de meeste misdadigers hun hart luchten.

Ik voelde me als een tekenfilmfiguurtje dat net een hamer op zijn kop had gekregen. Het duizelde me. Het leek of de wereld letterlijk op zijn kop stond. Ik zweer je dat ik sterretjes zag.

'*Jij*?' zei ik. 'Maar waarom?'

'D-Davis,' zei ze. 'Hij vroeg me om het te doen.'

'Doe jij altijd alles wat Davis je vraagt?' zei ik. Nu stond ik te schreeuwen. Nu was ik woest.

Ze liet haar hoofd nog lager hangen. 'Hij zegt dat jij altijd doet of je alles weet. Hij zegt dat jij er zo een bent die altijd denkt dat ze slimmer is dan de rest.'

Van de pot die de ketel verwijt, gesproken, zou mijn ma zeggen!

'Je had het van het eerste moment dat hij hier was op hem gemunt,' zei ze. 'Het is toch niet zijn schuld dat zijn vader rijk is. Het is toch niet zijn schuld dat hij naar een privé-school is geweest.'

'Da's waar, maar het is wel zijn schuld dat hij daar maar over door *blijft* bomen. Hij lijkt...' Ik zweeg abrupt.

Sarah fronste haar wenkbrauwen. 'Wat?'

Die gedachte kwam opeens in me op, maar nu ze er was, wist ik dat ze klopte. 'Hij lijkt mij wel, toen ik hier pas woonde,' zei ik. Maar dan zonder die rijke pa en die privé-school. En Toronto. Ik had nooit beseft hoe verwaand ik moest zijn geweest.

'Je bleef hem maar op zijn kop zitten,' zei Sarah. 'Hij is geen slechte jongen. En hij is echt intelligent. Heb je zijn artikel over straatkinderen ooit gelezen?'

Ik moest toegeven van niet.

'Of zijn video gezien? Hij werkt aan een fantastisch scenario. Over een jongen, een dief...'

Ik vond het verschrikkelijk om haar te moeten onderbreken, maar ik zei: 'Sarah, nog even over die spiekbrief. Heb jij mijn handschrift echt nagebootst omdat Davis dat vroeg?' Ik weet dat mensen vreemde dingen doen uit liefde, maar *zoiets*?

'Hij zei dat jij een lesje moest krijgen.' Haar kin druppelde weer. 'Ik was het met hem eens. Jij...' Ze keek me aan.

'Wat?'

'Nou, ik vond... nou, jij zit mensen altijd af te breken. Hij zei dat hij zich afvroeg wat iedereen van de beroemde Chloe Yan zou vinden als bleek dat ze die fantastische cijfers haalde door te spieken. Hij vroeg zich af hoeveel loyale vrienden jij had. Hij zei dat er niet veel zouden zijn.'

Die cijfers behaald door te spieken?

'Dus jij hebt mijn handschrift nagebootst...' Ik kon het nog steeds niet geloven.

'En Davis heeft die spiekbrief min of meer onder je tafel laten glippen toen je even niet keek.'

'Min of meer laten glippen.'

'En hij had gelijk,' zei ze. 'Toen de anderen het zagen, geloofden ze het. Iedereen dacht dat je had gespiekt.'

Ik kon niet geloven dat mij dit overkwam. 'Jullie hebben me erin geluisd? Omdat ik Davis heb geplaagd?'

'Ik zei toch dat het me speet.' Nu klonk ze berouwvol. Maar nog niet half zo berouwvol als ik had gewild.

'Ik was boos op je,' voegde ze eraan toe. Er welden opnieuw tranen op in haar ogen. 'Ik schaam me zo.'

'Jezus, wat heb ik je ooit misdaan, zeg?'

'Ik was altijd de beste van de klas,' fluisterde ze met trillende stem.

'Sorry, hoor, dat ik hard werk en daar goeie cijfers voor krijg.'

Ze depte weer wat tranen weg.

'En toen je me één keer in de nesten had gewerkt, kon je niet meer stoppen, is het dat, Sarah?' zei ik. 'Wat was de bedoeling eigenlijk, dat ik zou worden geschorst? Probeerde je de concurrentie voor eens en voor altijd uit te schakelen?'

Ze zei niets.

'Die lek gestoken band en de auto-inbraak,' zei ik. 'Was dat ook jouw werk?'

'Nee,' zei ze snel. Ze schudde haar hoofd alsof ze een hoed probeerde af te schudden. 'Daar heb ik allemaal niks mee te maken.'

'Maar Davis wel.'

'Dat… dat weet ik niet.'

'Sarah, je zei net dat het zijn idee was om mijn handschrift na te bootsen.'

'Als hij die andere dingen heeft gedaan, heeft hij mij daar nooit iets over gezegd, dat zweer ik.' Ze aarzelde. 'Misschien heeft hij het gedaan,' zei ze. 'Ik weet het niet. Hij doet de laatste tijd zo vreemd. Hij zegt dat het komt omdat hij zo hard aan zijn scenario moet werken.'

Het fameuze scenario.

'Hij heeft zich kandidaat gesteld voor de zomercursus van de Canadian Film Institute. Hij moet zijn scenario inzenden voor de examens. En hij trekt op met een kerel waar ik rillingen van krijg. Hij zegt dat die kerel research voor hem doet.'

Oh? Ik zag de man die ik gisteren voor het huis van Davis had gezien weer voor me.

'Wie is dat?' vroeg ik.

Sarah aarzelde. Eerst dacht ik dat ze niet zou antwoorden. Toen schudde ze haar hoofd.

'Hij heet Gary, meer weet ik niet.'

'Je bedoelt dat je hem eigenlijk niet kent? Is hij niet van hier?' Ik had verondersteld van wel, maar als Sarah hem niet kende, had ik het misschien mis.

Ze schudde haar hoofd. 'Ik weet het niet. Ik weet alleen dat Davis de laatste tijd vaak met hem optrekt. En als hij bij hem is geweest, is hij helemaal opgefokt, weet je, heel onrustig, maar hij wil nooit zeggen wat er aan de hand is. En de laatste tijd…' Haar stem stierf weg. 'Ik maak me zorgen om hem.'

'Sta je daarom hier te huilen?'

Ik had het woord 'huilen' waarschijnlijk niet mogen uitspreken. Want daar kwamen de waterlanders weer.

'Ja,' zei ze terwijl ze haar ogen weer depte met een prop doorweekt toiletpapier, 'en omdat ik me schuldig voel over wat ik jou heb aangedaan en omdat ik me schaam voor mezelf.' Ze aarzelde weer. 'Als Davis het heeft gedaan,' zei ze uiteindelijk, 'als hij die band kapot heeft gestoken en in de auto heeft ingebroken...' Ze schudde haar hoofd. 'Davis zou vanavond met mij naar de schoolfuif gaan.'

Ja? 'En?'

'Mijnheer Green zal er ook zijn. Hij is een van de leraren die moeten surveilleren.'

Ik dacht even na. 'Je denkt toch niet dat Davis nog iets van plan is, hè?' vroeg ik. Maar ik was er bijna zeker van van wel. Hij leek me het type dat, nu hij had besloten dat hij me niet mocht, niet zou ophouden tot hij me goed en wel had uitgeschakeld.

'Ik weet het niet,' zei Sarah. 'Wat moet ik doen?'

'Spijt het je echt wat je me hebt aangedaan?'

Ze knikte.

'Wil je het goedmaken?'

Nu knikte ze als een driejarige die een ijsje kreeg als hij beloofde om braaf te zijn.

'Vertel Davis niet dat je met me hebt gepraat, oké?'

Ze knikte, aarzelend, deze keer. Maar haar stem klonk krachtig en vastbesloten. 'Oké.'

Als ze woord hield, maakte ik misschien een kans.

Toen ik de deur openduwde, zat me nog iets dwars. Het plannetje van Davis was gelukt. Hij had goed gegokt. Hij had me erin geluisd en in plaats van dat iedereen mij geloofde, geloofden ze de leugens. Je zou natuurlijk kunnen zeggen dat dat iets over hen zei. Maar wat ik niet van me af kon zetten, wat als een knoop in mijn maag zat en me misselijk maakte, is dat het ook iets over mij zei. En wat het zei, vond ik allesbehalve leuk.

Ik pakte mijn rugzakje zorgvuldig in en zwaaide het over mijn beste rode trui. Ik leunde voorover naar de spiegel en bracht wat mascara aan. Toen deed ik een stap achteruit om te kijken hoe ik eruit zag. De trui paste perfect en zag er fantastisch uit op mijn zwarte rok. Op weg naar beneden kwam ik langs de kamer van Phoebe. Ik gluurde naar binnen. Haar mobieltje lag op haar werktafel. Ze had het niet meegenomen naar Toronto. Ik probeerde niet te denken aan al de keren dat ik haar had afgesnauwd omdat ze mijn spullen had gebruikt zonder het te vragen. Ik griste haar mobieltje van de tafel en stopte het bij het fototoestel dat ik in mijn rugzak had gedaan. Je weet maar nooit, dacht ik.

Toen ik de deur wilde uitgaan, kwam Shendor met grote sprongen op me toegelopen.

'Nee, meisje,' zei ik. 'Jij kunt niet mee.'

Ze keek me aan met een zielige puppyblik.

'Je hebt je wandeling al gehad,' zei ik, niet dat dat hielp.

Waarom praten mensen met een normaal IQ eigenlijk tegen honden alsof ze je verstaan en redelijk zullen antwoorden? Zo slim zijn honden nu eenmaal niet. Die van mij in ieder geval niet.

Het enige wat ze hoorde was 'wandelen.'

Ze blafte hoopvol.

Toen ik op school aankwam, kon ik niet kiezen wat ik eerst zou doen – naar binnen gaan of buiten op onderzoek uitgaan? Ik was met opzet vroeg gekomen, zodat ik iedereen zou zien aankomen en weggaan. Maar toen ik een paar minuten in een donkere hoek van het parkeerterrein rond had gehangen, bedacht ik opeens twee dingen. Eén: toen ik Sarah in de meisjestoiletten had gevonden, had ze gezegd dat ze naar de sportzaal terug zou gaan. Ik had daar op dat ogenblik niet bij stilgestaan. Maar nu dacht ik er nog eens over na. Een aantal leerlingen had 's middags de sportzaal versierd. Als Sarah mee had helpen versieren, hoorde ze dus bij de decoratieploeg. En als dat waar was, was ze ook bij het organisatiecomité van de fuif geweest. En het organisatiecomité kwam altijd vroeger om de honderden details te regelen die de organisatie van een fuif met zich mee brengen. Als Sarah vroeger was gekomen en als Davis haar date voor de fuif was, was er veel kans dat Davis nu al in de zaal stond.

Het tweede feit dat me nu opeens daagde, was dat ik er verdacht uitzag. Ik was met opzet in een donker hoekje gaan staan, zodat niemand me zag. Dat betekende dat ik ook vlak naast het parkeerterrein stond waar mijnheer Green toezicht hield. De auto van mijnheer Green stond hier ergens op het parkeerterrein. Als hij me nu zag, zat ik weer helemaal van voren af aan in de nesten.

Ik liep naar binnen.

'Hé, Chloe!'

Het was Ross. Hij hing rond in de buurt van de deejay en veerde overeind toen hij me zag. Toen hij op me toe kwam, had hij een vreemde uitdrukking op zijn gezicht. Hij leek naar iets te zoeken dat zich achter mijn rug bevond.

'Ik dacht dat je niet zou komen,' zei hij.

'Ik heb me bedacht.'

Hij gluurde weer over mijn schouder. 'Ben je hier alleen?'

'Zie je dubbel of zo, Ross? Zie je hier iemand naast me?'

Hij lachte harder dan mijn opmerking verdiende en leek toen te ontspannen.

'Ik dacht dat je niet van schoolfuiven hield.'

'Dat is ook zo,' zei ik. 'Ik ben hier niet voor de fuif.'

'Oh. Waarvoor dan wel?'

'Dat kan ik je niet vertellen, Ross.'

Hij keek bijna net zo zielig als Shendor met z'n alsjeblieft-alsjeblieft-alsjeblieft-alsjeblieft-ga-met-me-wandelen-blik.

'Goed dan, maar als ik het je vertel, moet je me beloven dat je je mond houdt en me verder met rust laat, oké?'

'Ze zeggen dat het menselijk lichaam voor negentig procent uit water bestaat,' zei Ross. 'Maar daar klopt helemaal niks van, want dat van jou bestaat voor honderd procent uit charme.' Ik weet niet wat hem had bezield toen ik de sportzaal binnenkwam, maar nu was hij in elk geval weer helemaal de oude.

Ik keek rond. Mijnheer Green stond helemaal aan de andere

kant van de zaal te kletsen met juffrouw Pileggi, mijn juf wiskunde, die waarschijnlijk ook toezicht moest houden. Ik knikte naar hen.

'Je lievelingsleraar,' zei Ross. 'Wat ben je nog allemaal met hem van plan?'

'Haha,' zei ik. 'Ik dacht dat je wilde weten waarom ik hier ben. Blijkbaar heb ik je verkeerd begrepen.'

'Hé, kom nou, Chloe, kun je nog niet eens tegen een grapje?'

'Jawel, hoor. Vertel er eens een.' Toen besloot ik om hem wat minder te tackelen. 'Ik denk dat ik weet wie met mijnheer Greens auto heeft geprutst,' zei ik. 'En ik wil die persoon op heterdaad betrappen.'

'Wie is het?'

'Dit wil ik zelf doen, Ross.'

'En dat betekent?'

'Dat betekent dat je me vanavond met rust laat. Dat je me niet meer lastigvalt met honderd en één vragen. Dat je me niet overal volgt of je bemoeit met de gesprekken die ik voer.'

Hij schudde zijn hoofd. 'Honderd procent pure charme,' mopperde hij.

Davis kwam pas aan toen de fuif al een uur bezig was. Hij was zoals altijd helemaal in het zwart gekleed en had zijn zonnebril op toen hij de zaal binnenkwam. Misschien bleef hij daarom bij de deur hangen en wachtte hij tot Sarah hem in de gaten kreeg – hij zag geen hand voor ogen in het schemerlicht. Sarah liep naar hem toe en legde haar armen rond zijn nek. Hij liet een hand op haar rug glijden. Maar hun omhelzing duurde niet lang. Opeens duwde ze zich weg. Ze praatte en schudde tegelijkertijd heftig met haar hoofd. Ik stond te ver weg om te horen wat ze precies zei. Toen nam ze Davis bij de hand en trok hem mee naar de hoek van de zaal die het verste van de deur lag. Ik probeerde hen in het vizier te houden, maar toen sloeg er iemand op mijn rug. Ik draaide me om.

Rick.

Hij grijnsde naar me.

'Helemaal alleen, zie ik,' zei hij. 'Zo'n fantastisch meisje als jij. Hoe kan dat nu?'

'Val dood, Rick.'

Zijn grijns werd nog breder. 'Begrijp je wat ik bedoel?'

Ik herinnerde me de laatste keer dat ik hem en Daria samen had gezien. Toen stonden ze ruzie te maken over iets.

'Ik kan het mis hebben, hoor, maar jij vliegt vanavond blijkbaar ook solo. Vergeten je populariteitspilletje te nemen?'

Ik keek de zaal rond om mijn bewering dat Daria schitterde door haar afwezigheid kracht bij te zetten, maar toen zag ik haar tot mijn verbazing bij de deur staan. Ze was net binnengekomen en keek de zaal rond. Haar blik zoomde in op Rick en ze baande zich een weg naar ons toe. Of eigenlijk naar Rick.

Rick zag haar ook en zijn gezicht lichtte op. Hij leek nog verbaasder dan ik. Ik had het blijkbaar bij het rechte eind gehad. Hij was toch alleen naar de fuif gekomen.

'Hoi, Daria,' zei hij. Hij probeerde zijn arm om haar middel te leggen, maar ze wrong zich los.

Yep, ik had het wel degelijk bij het rechte eind.

'Hé, kom nou,' probeerde hij haar te paaien.

Daria negeerde hem. 'Chloe, kan ik je even spreken?' vroeg ze.

Ik keek naar de plaats waar Sarah en Davis hadden gestaan en zag dat Sarah nu alleen was. Ze leek ongelukkig toen ze Davis door een uitgang zag verdwijnen. Ik brandde van nieuwsgierigheid waarom Daria had gedaan wat ze vanochtend in het secretariaat had gedaan, maar ik kon niet blijven.

'Ik moet ervandoor, Daria,' zei ik. 'Ander keertje, oké?'

'Laat me los, Rick,' zei Daria. Ze mepte zijn hand weg. Ze leek het echt jammer te vinden om me te zien vertrekken.

Ik zag Davis in het donker achter de school staan. Ik vermoedde dat hij op het parkeerterrein bij de auto van mijnheer Green zou gaan rondhangen. Ik had het mis.

13

Davis hing rond bij de school, maar in plaats van naar het parkeerterrein te gaan, liep hij naar de tegenovergestelde richting. Er hing een rugzak op zijn schouder. Wat was hij van plan? Mijn eerste gedachte was: als het niks met de auto van mijnheer Green heeft te maken, kan het me niet schelen. Maar toen vroeg ik me af wat hij mijnheer Green nog allemaal zou kunnen flikken. Sarah had gezegd dat hij zich de laatste tijd zo vreemd gedroeg. Ze maakte zich zorgen om hem. Vooral om wat hij allemaal in zijn schild voerde en toevallig waren dat allemaal dingen die mij en mijn reputatie kelderden. Ik besloot hem te volgen. Als hij het waagde me nog iets te flikken, zou ik hem dat flink betaald zetten.

Davis liep het schoolplein over, de straat op. Daar ging hij noordwaarts. Eerst dacht ik dat hij naar huis ging, maar hij liet zijn eigen straat links liggen en bleef naar het noorden lopen tot hij bij Lodge Lake Road kwam. Hij stak de straat over en verdween in de bossen aan de overkant. Ik aarzelde en was bijna op mijn stappen teruggekeerd. Zelfs na al die maanden vond ik het maar niks om me in een donker bos te wagen. Je wist nooit of er wilde dieren met scherpe tanden en een vreselijke honger rondzwierven. Dat kun je best laf vinden, maar ik had geen zin om te eindigen als toetje van een beer. Toen ik voor me in het bos een lichtstraal alle kanten op zag dansen, begreep ik dat Davis zich beter op dit nachtelijke uitje had voorbereid dan ik. Hij had een zaklantaarn meegebracht. Het enige licht dat ik bij me had, was de ingebouwde flits van het fototoestel dat ik in mijn minirugzak had gestopt in de hoop Davis op heterdaad te kunnen betrappen. Maar op wat ik hem zou betrappen, wist ik niet. En waar ging hij eigenlijk naartoe? Wat was hij van plan? Had het iets te maken met waarom Sarah zich zulke zorgen om hem maakte? Ik besloot hem te volgen.

De lichtstraal werd steeds zwakker. Davis kwam veel sneller vooruit dan ik. Zijn weg was goed belicht. Hij hoefde niet bang te zijn dat zijn voet klem zou raken in een onzichtbare lus van boomwortels die uit de grond staken. Hij liep steeds verder voor me uit. Als ik mijn pas niet versnelde, zou ik hem kwijtraken. Het goeie nieuws was dat Davis het pad mooi bleef volgen. Als ik naar beneden tuurde en me goed concentreerde, kon ik het nog net zien. Ik kon zelfs de donkerder vlekken, de stenen en boomstammen ontwaren. De enige keer dat ik struikelde, was toen ik even opkeek om te kijken waar Davis was. Ik viel over een steen en dreigde voorover te tuimelen. Ik opende mijn mond, maar slikte mijn gil in. Het lukte me om mijn evenwicht terug te vinden. Niks gebeurd.

De bossen waar we door liepen, waren niet diep. Ze eindigden bij Sideroad 42. Dit gedeelte van de weg omrandde de zuid- en westkant van het park en liep ook langs Little Lodge Lake, dat voor het grootste deel in het park lag. Toen ik aan de rand van het bos kwam, keek ik naar links en naar rechts op de weg. Eerst zag ik niemand. Ik sloop het bos uit op het strookje onkruid dat het bos van de weg scheidt en keek nog eens naar links en naar rechts. Links zag ik iets bewegen. Daar, langs de rand van de weg, liep iemand. Hij had zijn zaklantaarn uitgeknipt, maar ik wist zeker dat het Davis was. Ik volgde hem, maar bewaarde een zo groot mogelijke afstand zonder hem uit het oog te verliezen.

Hij had zijn pas versneld. Blijkbaar had hij haast. Maar waarom? Waar ging hij naartoe? Het was wel duidelijk dat wat hij ook van plan was, het niks met mijnheer Green had te maken. Maar nu kon ik niet meer terug. Ik had nog nooit iemand achtervolgd. Dat is een heel vreemd gevoel. Je vangt een glimp op van iemands leven, van hoe iemand zich gedraagt als hij denkt dat niemand hem ziet. Het is een beetje eng en tegelijkertijd heel fascinerend. Daar liep hij dan, Davis Kaye, mister Cool, een kerel die hard aan zijn imago werkte, met zijn zwarte kleren, zijn zonnebril - die waarschijnlijk meer kostte dan al mijn kleren bij elkaar -, zijn bekroonde artikels en video en zijn 'ik schrijf een scenario'-airtje. Davis die niet wist dat ik wist wat hij me had geflikt. Daar liep hij, midden in de nacht, op weg naar iets, duidelijk iets van plan – of toch niet –, maar duidelijk in de waan dat hij alleen was. Maar dat was hij niet. Dus had hij het mis en voelde ik mij slim. Pienter. *Ik weet iets wat jij niet weet, Davis. Ik weet waar je bent en ik zie wat je in je schild voert.*

Ik volgde hem verder over de weg tussen Little Lodge Lake en

Elder Pond. En toen, opeens, danste er in de verte weer een zwak lichtstraaltje. Ik sloop van de weg af, het struikgewas in. Davis bewoog niet meer. De straal van zijn zaklantaarn wees naar de weg. Wat deed hij? Toen snapte ik het – hij keek ergens naar. Een kaart misschien? Het licht ging weer uit en Davis liep van de weg af.

Ik wachtte tot hij uit het zicht was verdwenen en haastte me toen naar de plek waar hij had gestaan. Een smalle oprit van grind mondde uit in Sideroad en leidde naar Little Lodge Lake. Die moest hij op zijn gegaan. Ik volgde hem. Ik liep naast het grind – dat maakte te veel lawaai –, door het gras en het onkruid naast de oprit. Voor mij hoorde ik het gedempte geknars van Davis' schoenen op het grind.

Aan het einde van de kronkelige, hobbelige oprit stond een bouwvallige bungalow. Zei ik bungalow? Het was meer een schuur. Sommige huizen bij het meer zijn echte kasten. Het zijn heuse villa's van stadslui die te veel geld hebben en die het comfort die ze thuis hebben ook willen als ze in de bossen zogezegd 'een met de natuur' komen zijn. Maar er staan ook heel oude huizen, uit de jaren dertig of veertig of vijftig. Ze zijn klein en primitief, niet meer dan een plaats om te slapen als je niet aan het zwemmen, kanovaren of aan het wandelen bent in het park. Sommige van die huisjes zijn zo scheefgezakt, dat het lijkt of ze elk moment om kunnen vallen. De bungalow waar de oprit naartoe leidde, was er zo een.

Maar nu zag ik Davis nergens meer. Waar was hij? En wat was hij van plan?

Er kraakte iets in het donker. Ik verstijfde en keek rond waar ik me kon verbergen. Ik kon niet uitmaken waar het geluid vandaan kwam. En waar was Davis? Het was pikkedonker in de bungalow, dus daar kon hij niet zijn. Maar als hij daar niet was, waar dan wel?

Ik keek nog eens overal rond. Niks. Toen flitste er links van mij een zwakke lichtstraal in de nacht, die meteen ook weer verdween. Davis moest ergens achter de schuur zijn. Mijn nieuwsgierigheid werkte op volle toeren. Waarom was hij hier? Wat was hij toch van plan?

De bungalow stond in het midden van een gazon vol onkruid, dat was afgezoomd met struiken en bomen. Ik spurtte het gras over en sloop dicht tegen de boomrand naar de achterkant.

Ik weet nu dat als je je in het donker even soepel wilt bewegen als een kat, het een hele hulp is om, net als een kat, in het donker te kunnen zien. Wat ik dus niet kan. Het was dus een kwestie van tijd voor ik ergens tegenaan botste. Dat hoorde je bijna niet. Maar de vloek die ik uitstootte omdat ik ook nog eens met mijn voorhoofd tegen datzelfde ding – een boom, zo bleek – knotste, hoorde je maar al te goed. Ik verstijfde en luisterde of Davis me had gehoord, maar het enige wat ik hoorde, was mijn eigen zwakke adem. Na een tijdje sloop ik tergend langzaam verder. Wat ik zag, deed me bijna weer keihard vloeken.

Davis stond op de veranda aan de achterkant van de bungalow met een schuifdeur te worstelen. Hij probeerde ze open te wrikken. Toen dat niet lukte, sprong hij van de veranda en scheen hij rond met zijn zaklantaarn. Ik hield me schuil tussen de bomen en wachtte. In de verte hoorde ik het gebrom van een auto. Het geluid leek dichterbij te komen en stierf toen weer weg. De auto reed waarschijnlijk op de hoofdweg. Ik wist alleen dat ik hem niet meer hoorde, dus maakte ik er me verder geen zorgen meer over.

Toen ik weer een beetje dichtbij durfde te komen, had Davis ergens een picknicktafel vandaan gesleurd en onder een raam gezet. Hij zwaaide er zijn rugzak op en begon erin te rommelen. Hij viste er iets uit en klom op de tafel. Mijn adem stokte. Het ding dat Davis uit zijn rugzak had opgediept, was een breekijzer. Hij gebruikte hem om het raam open te breken. Hij brak in in die bungalow.

Een storm van gedachten wervelde in mijn hoofd. Had Davis ook in al die andere bungalows ingebroken? Droeg hij Nikes? Ik had zijn voeten nog niet goed bekeken in de sportzaal. En als hij Nikes droeg, kwamen zijn voetafdrukken dan overeen met de sporen die Levesque had gevonden bij één van de bungalows waar was ingebroken? Had Davis iets te maken met de dood van Stanley Meadows? Die laatste vraag wees ik, meteen toen ze bij me opkwam, weer van de hand. Davis was veel: een opschepper, een klier, een ijdeltuit, en dat waren nog maar drie scheldnamen die perfect bij hem pasten. Maar een moordenaar? Kom, zeg! Dat hield gewoon geen steek. Maar ondertussen stond hij daar wel op een tafel met een breekijzer te wrikken aan het raam van een bungalow waar hij duidelijk de sleutel niet van had. Hoe je dit ook draaide of keerde, hier was iets goed fout.

Tijd voor actie. Wat zou ik doen? Ik prutste aan het koordje van mijn rugzakje. Daarin zat mijn fototoestel mét rolletje, klaar voor gebruik. Ik kon me bijna niet bedwingen om nu een foto van Davis te nemen. Van op heterdaad gesproken. Maar wat me tegenhield, was de manier waarop mijn fototoestel werkt. Om de foto te laten lukken, zou ik mijn flits moeten gebruiken. Als de flits afging, zou Davis dat zien. En als hij dat zou zien... Ik bedacht wat er allemaal kon gebeuren als hij me zag en ik niet snel genoeg weg kon rennen, als hij me te pakken kreeg en hij het fototoestel af kon pakken... Aan de andere kant kon ik me niet voorstellen dat hij me echt iets aan zou doen en dus zou hij niet kunnen verhinderen dat ik naar Steve Denby ging. Hij zou niet kunnen verhinderen dat ik Steve vertelde wat ik had gezien. En hij zou zeker niet kunnen verhinderen dat Steve deze inbraak onderzocht en vergeleek met de andere inbraken. Ik hoefde zelfs geen foto te nemen. Ik kon nu meteen naar Steve gaan en hem vertellen wat ik had gezien. Op die manier zou Davis niks in de gaten hebben. Hij zou geen tijd hebben om een alibi te verzinnen. Het verrassingselement zou in Steves voordeel werken.

Een luide *pats* deed me opspringen. Davis was erin geslaagd om het raam open te wrikken en kroop er nu door. Ik hield mezelf voor dat ik nu buiten gehoorafstand moest zien te komen, Phoebes mobieltje uit mijn rugzak halen en Steve Denby bellen. Maar ik kon nog geen vin verroeren. Davis had in een bungalow ingebroken. Hij had zich er goed op voorbereid en had precies geweten hoe hij binnen moest komen. Dat betekende dat er veel kans was dat hij die andere bungalows ook op zijn geweten had. Maar waarom? Levesque had gezegd dat er niks van waarde was gestolen. Althans niks dat de eigenaars hadden opgemerkt en gesignaleerd. De meesten hadden gezegd dat ze geen waardevolle dingen in hun bungalow bewaarden. Zo te zien was deze bungalow geen uitzondering. Maar waarom dan? Waarom brak Davis in in huizen waar hij niks wegnam? Ik besloot om Steve te bellen zodra ik had gezien wat hij deed.

Ik liep op mijn tenen door het donker naar de bungalow, maakte me heel klein, sloop de treden van de veranda op en hurkte bij de schuifdeur neer. Mijn hart bonkte in mijn keel. Ik hield mezelf voor dat er niks was om bang voor te zijn. Ik deed niks verkeerds. Davis wel. Ik wilde gewoon heel eventjes rondkijken. Met een beetje geluk zou ik, als ik naar binnen gluurde, niet oog in oog staan met Davis die net naar buiten gluurde. Ik ging op mijn buik liggen met mijn hoofd naar de schuifdeur en mijn voeten bijna over de rand van de veranda. Toen haalde ik diep adem en sloop ik net ver genoeg naar voren om een glimp van de binnenkant van de bungalow op te vangen.

Eerst zag ik niks. Toen zag ik in een hoek de lichtstraal die verraadde waar Davis zat. Het duurde even voor ik iets in het donker kon onderscheiden. Davis zat op een stoel met zijn rug naar de deur. Hij boog zich over een werktafel. De zaklantaarn hield hij in één hand en met zijn andere hand rommelde hij in een la. Wat zocht hij? Geld? Andere waardevolle spullen? Hij smeet de bovenste la dicht en rukte de volgende open. Hij werkte zich snel door de inhoud van de la heen. Toen ging hij opeens weer overeind zitten en knipte hij de zaklantaarn uit. Ik kon hem nauwelijks zien zitten. Hij leek niet te bewegen. Er flitste een gedachte door mijn hoofd: hij weet dat iemand hem in de gaten heeft! Met een ruk deinsde ik achteruit en duwde me op mijn armen naar achteren. Ik wilde de veranda afwriemelen, toen het interieur van de bungalow opeens baadde in licht.

Mijn hart bleef stilstaan. Had hij me gehoord? Wist hij dat er buiten iemand was? Ik hield mijn adem in en herinnerde mezelf eraan dat dit Davis was. Zelfs als hij had ontdekt dat hij niet alleen was, zou hij me geen pijn doen. Dat zou hij niet durven. Toen hoorde ik een dreigend gegrom, gevolgd door een stem, een stem die niet van Davis was. Toen besefte ik dat ik de minste van Davis' zorgen was.

'Wat moet dat hier?' zei de stem. Hij kwam duidelijk van het raam dat Davis achter zich had opengelaten. De eigenaar van de bungalow. Dat moest wel.

'Gary,' zei Davis.

Gary? De Gary die ik bij het huis van Davis had gezien?

Had Davis bij Gary ingebroken? Waarom?

'Ik vroeg je wat, Dave,' zei Gary. 'Krijg ik nog een antwoord, of zal ik mijn vriend hier van zijn muilkorf bevrijden en hem een antwoord bij je laten losweken?'

Ik popelde om nog eens naar binnen te gluren, maar ik durfde niet, niet nu binnen het licht aan was. Ik kon niet zien wat er gebeurde, maar dankzij het open raam, kon ik het wel horen.

Davis lachte, maar zijn lach klonk droog en nerveus, meer als zenuwachtig gekakel dan gul gebulder.

'Gut, waar kwam jij opeens vandaan? Ik schrok me rot,' zei Davis. 'De meeste honden zouden hebben geblaft, me hebben gewaarschuwd.'

'Mijn hond is niet zoals andere honden,' zei Gary. Ik herinnerde me dat ik hem op straat ook al had zien rondlopen met dat akelige zwarte beest, dat een kruising leek tussen een Rottweiler en Satan. De hond gromde opnieuw. Het was een laag, vervaarlijk gegrom dat van een beest met de omvang van, laten we zeggen, de tyrannosaurus rex leek te komen. Toen hoorde ik kettinggerammel en viel het beest stil. 'Ik dacht dat je dat nu toch al wist. Hij hoeft niet veel lawaai te maken om me te vertellen wat hij me moet vertellen,' zei Gary. 'En je hebt mijn vraag nog niet beantwoord.'

'Ik zat op jou te wachten,' zei Davis. 'Ik hoopte al dat je zou komen opdagen.'

'Wel, hier ben ik,' zei Gary. 'Denk je dat ik dom ben, Dave? Denk je dat echt?'

'Nee,' zei hij. 'Ik was gewoon...'

'Hier liggen ze niet,' zei Gary.

Wie – of wat – lagen hier niet? Waar hadden ze het over?

'Jij hebt zelf de eerste stap gezet,' zei Gary. 'Jij wilde precies weten hoe het werkt. Dat zei je toch, hè Dave?'

Davis zei niks.

'En wat zei ik toen?'

Nog steeds geen antwoord.

'Wat heb ik je toen gezegd?' Gary's stem klonk gevaarlijk scherp.

Davis mompelde iets dat ik niet kon verstaan.

'Jij gaat me niet verklikken, Dave. Je geeft me niet aan of je komt zelf tot over je oren in de problemen. Daar waren die foto's voor. Mijn verzekering.'

Foto's. Ik herinnerde me dat Davis aan het begin van zijn oprit naar de inhoud van een envelop stond te kijken. Ik herinnerde me dat hij in zijn garage iets zat te verbranden dat op foto's leek. Er was veel meer aan de hand in Davis' leven dan ik had gedacht.

'Blijkbaar was het een goed idee om je in de gaten te houden, Dave,' zei Gary. 'Je zit mee in het complot en je blijft erin. Als ik ook maar vermoed dat je me iets wilt flikken, stop ik die foto's bij de politie in de bus, begrepen? Die mooie, scherpe kiekjes van jou op alle drie de locaties. En als ze weten dat je er de eerste drie keer bij was, houden ze je ook verantwoordelijk voor die andere locatie.'

Die andere locatie?

De Satan-hond gromde nog eens en weer hoorde ik zijn ketting rammelen om hem de mond te snoeren.

'Als je die foto's aan de politie geeft, werk je jezelf ook in de nesten.'

'Oh, ja, en hoe dan wel, Dave?'

'Wie de foto's heeft gemaakt, was zelf ook ter plaatse.'

Ik hoorde hem grinniken. Het klonk zo koud dat je de neiging kreeg om een trui aan te trekken – nadat je eerst uitvoerig onder een hete douche was gaan staan.

'Ik zei dat ik die foto's op zou sturen, Dave. Daarvoor hoef ik niet in dit klotendorp rond te blijven hangen. En misschien moet ik je er nog eens aan herinneren dat er geen enkel, maar dan ook geen enkel bewijs is dat ik op die laatste locatie ben geweest. Iedereen zal er automatisch van uitgaan dat die laatste locatie jouw idee was en jouw werk. Van jou alleen.'

Die andere locatie? De laatste locatie? De bungalow van Stanley Meadows? Ik liet me achteruitzakken. Tijd om het op een lopen te zetten. Maar daar dacht mijn trui anders over. Ze bleef achter een spijker hangen en toen ik uit alle macht trok om los te komen, knalde ik met mijn achterhoofd tegen de reling van de veranda. Het maakte niet meteen een hels kabaal, maar het was luid genoeg om Gary en Davis te doen stoppen met praten. Ik sprong de veranda af. Achter mij blafte een hond. Hij gromde niet, hij blafte. Hij blafte luid en vervaarlijk. Ik spurtte naar het

bos. En ik zou het ook hebben gehaald, als niet iemand de schuifdeur had opengetrokken en iets groots zwarts grauwends op me
af had gestuurd. Ik hoorde wat er gebeurde, draaide me om en zag
zelfs in het donker die scherpe, bloeddorstige tanden zonder muilkorf en kleddernat van het kwijl. Toen hoorde ik de *fwoesj* van de
schuifdeur die verder werd opengetrokken.

'Nog één beweging,' zei Gary, 'en ik laat hem aanvallen.'

14

Nog één beweging? Waar had Gary het over? Alsof ik nog één spier kon verroeren. Die hond was gigantisch en gemeen. Het was zo'n hond die je moest vastbinden met een ketting omdat hij een leren of nylon leiband gewoon zou doorbijten alsof het een stuk brood was. De hond – het beest – zette zich schrap om op commando een enorme sprong te maken en zijn hoektanden in mijn nek te boren. Het zou bij wet verboden moeten zijn om zulke honden te houden.

Ik staarde het dier aan. Toen herinnerde ik me iets dat ik in een boek over honden had gezien. Dat boek hadden we van mama moeten lezen toen ze Shendor langs de autosnelweg had gevonden en mee naar huis had gebracht. Sommige hondenrassen – waakhonden en vechthonden (ik zakte bijna door mijn knieën toen dat woord door mijn hoofd flitste, vechthond) – interpreteren oogcontact als een vernedering. Ze denken dan je hun dominantie in twijfel trekt en gaan met je vechten om te laten zien wie de sterkste is. Ik wendde snel mijn blik af.

'Ken je haar?' zei Gary.

Ik durfde mijn hoofd maar een beetje te draaien en zag twee silhouetten tegen het verlichte interieur van de bungalow. Een van de twee knikte. Bedankt, Davis.

'Ze zit bij mij op school,' zei hij.

'Wat doet ze hier?'

Davis haalde zijn schouders op.

'Ik ben naar de schoolfuif geweest,' zei ik tegen Gary. 'Ik was op weg naar huis. Langs een binnenweg.'

'Een binnenweg tot aan mijn achterdeur?' zei Gary.

Hij ging op de veranda staan.

'Haar pa is de hoofdcommissaris van de politie,' zei Davis. Toe maar, Davis. Of, als hij het zei om Gary bang te maken en me te laten gaan: bedankt, Davis.

'Ja, sorry als ik uw eigendom heb betreden,' zei ik. 'Ik woon die kant op.' Ik stak mijn hand uit en wees in de richting van ons huis. Maar zodra ik bewoog, begon de hond te grommen en zette hij zich nog meer schrap. Ik trok mijn hand heel langzaam weer in. Geen dreigende gebaren maken. Geen plotse bewegingen.

'Ga die zaklantaarn halen,' zei Gary tegen Davis.

Davis gehoorzaamde. Gary liet de zaklantaarn op mij schijnen en bekeek me eens goed. De lichtstraal bleef hangen bij de scheur in mijn trui. Toen zwaaide hij de lichtstraal naar de veranda en stopte dicht bij waar ik had gelegen. Hij bukte zich, plukte iets van de vloer en hield het in het licht om het beter te kunnen bekijken. Toen scheen hij weer op mijn trui.

'Ze is hier op de veranda geweest,' zei hij tegen Davis en hij liet hem zien wat hij had opgeraapt. Het was een stukje rood garen dat hij van de spijker had geplukt. 'Kom hier,' zei hij tegen mij.

Ik bleef waar ik was. Ze vermoedden dat ik hun had afgeluisterd. Als ik weer op die veranda terechtkwam, zou het slecht met me aflopen.

'Maak dat je hier komt,' zei Gary, 'of ik ga naar binnen en laat Dracula met je spelen.'

Dracula? Schattig. Ik liep naar de trap. Toen ik op de veranda stond, greep Gary me vast en duwde me naar binnen. Hij rukte mijn rugzak van mijn rug. Toen knipte hij met zijn vingers en voor ik het wist, stond Dracula ook binnen.

'Zit,' zei Gary. Ik wist niet of hij het tegen mij of tegen de hond had, dus liet ik me voor alle zekerheid op de dichtstbijzijnde stoel vallen. Gary knipte weer met zijn vingers en Dracula haastte zich naar hem toe. Gary knielde neer en zei met lage stem iets tegen hem. Dracula ging voor me zitten en begon me zo ontspannen als een opgespannen veer te bewaken.

'Als je durft te bewegen,' zei Gary, terwijl hij de schuifdeur dichttrok en sloot,' is het de laatste keer geweest dat je hebt bewogen. Neem dat van me aan.'

Ik nam het van hem aan.

Gary en Davis gingen een andere kamer in. Ik zat te beven op mijn stoel. Ik durfde niet naar Dracula te kijken en probeerde de paniekaanvallen die door mijn lijf gierden te onderdrukken. Denk. Denk. Ik zou de minuut die ik Davis door het raam had zien glippen, ongedaan moeten kunnen maken. Ik had Steve Denby moeten bellen en hem vertellen wat ik had gezien. Had gemoeten, had gekund. Nutteloze woorden, net als *stel dat.*

Woorden die niks aan de situatie veranderden.

Denk.

Gary en Davis waren betrokken geweest bij de dood van Stanley Meadows, daar was ik nu zeker van. Als ze vermoedden dat ik dat wist, zat ik pas echt goed in de knoei. Ik had met Phoebe en Levesque naar Toronto moeten gaan. Ik had met Ross op de fuif moeten blijven. Ik had moeten wegrennen toen Davis dat breekijzer uit zijn rugzak haalde. Had gemoeten, had gekund.

Ze bleven maar een paar minuten in die andere kamer, maar het leek veel langer. Mijn ademhaling klonk even luid als die Darth Vader, leek het wel. Ik kon aan niets anders denken dan aan Dracula. Zijn instinct kon elk ogenblik de overhand krijgen en dat ogenblik zou dan meteen mijn laatste zijn. Ik bleef met gebogen hoofd zitten en keek naar zijn voorpoten. Het stelde me een heel klein beetje gerust dat hij tot nu toe nog precies op dezelfde plaats zat als waar Gary hem had gezet. Brave hond. Zit, hond.

Ik hoorde voetstappen, maar durfde niet te bewegen. Gary en Davis kwamen de kamer weer in.

'Tien minuten,' zei Gary. 'Langer duurt het niet. Jij,' blafte hij tegen mij. 'Kom hier.'

Ik durfde nog steeds niet op te kijken en bleef naar Draculas poten kijken. Het waren grote, stevige poten. Poten die opeens even groot leken als de voeten van Levesque. Langzaam, heel voorzichtig, bang om Dracula te laten schrikken of op een of andere manier uit te dagen, stond ik op. Gary greep mijn arm vast. Zijn hand beet in mijn elleboog toen hij me naar een klein kamertje duwde. Pas toen ik erin stond, knipte hij het licht aan. De kamer had geen ramen en er stond niets anders in dan een stoel, een plastic vuilnisbak, een paar kartonnen dozen en een krakkemikkig taboeretje.

'Jij ook,' zei Gary tegen Davis. 'Ik riskeer het niet om met jullie tweeën in de auto benzine te gaan tanken.' Voor hij Davis bij mij naar binnen duwde, fouilleerde hij hem en pakte hem zijn mobieltje af. Verdomme. Twee mobieltjes – dat van Davis en dat van Phoebe – allebei afgepakt. Ze waren blijkbaar net als de politie – als je ze nodig had, waren ze nergens te bekennen.

'Haal je maar niks je het hoofd,' zei Gary. 'Dracula blijft bij de deur staan. Zelfs als je ze open krijgt – wat je nooit zal lukken, geloof me – krijg je met hem af te rekenen. En twijfel er maar niet aan, deze hond is geboren om te vechten – en te winnen. Dus speel het maar slim, hè Davis? Als ik terugkom, wil ik jullie hier braaf zien zitten en dan beslis ik hoe het verder moet.'

Hij grijnsde en ging de kamer uit. De deur vloog dicht en ik hoorde een sleutel in het slot draaien. Ik haalde opgelucht adem. Dracula was aan de andere kant van de deur. Het was niet veel, maar het was het beste wat me vandaag was overkomen.

Een tijd lang zeiden we allebei geen woord. We luisterden hoe Gary's voetstappen wegstierven. We hoorden ergens buiten een auto starten. We hoorden het geluid van de motor wegsterven. Ik keek om me heen me. De plastic vuilnisbak was leeg. Ik keek in de kartonnen dozen. Ook leeg. Ik gooide er een naar de deur om te zien of Dracula daar echt zat. Slecht idee. Dracula gromde woest en slingerde zich tegen de deur. De hele kamer schudde. Als hij dat nog een paar keer deed, zou hij het hout van de deur verbrijzelen en er zo door kunnen. Ik wachtte bevend of hij tegen de deur zou blijven springen of het zou opgeven. Hij gaf het op.

'Nog meer van die goeie ideeën?' zei Davis. Hij zat op de vloer met zijn rug tegen de muur en zijn benen voor zich uit.

'We moeten hieruit komen, Davis,' zei ik. Maar hoe? Er was geen raam. De enige deur werd bewaakt door die goeie ouwe Dracula. Ik keek naar de stoel en het taboeretje. Misschien kon ik me achter de deur verstoppen en Gary met een van de twee op het hoofd slaan als hij terugkwam – als Davis wilde meewerken, tenminste. Maar hoe moest het dan met Dracula? Ik wist niet wat ze de hond hadden geleerd dat hij moest doen als zijn baasje werd aangevallen en daar wilde ik ook in geen geval achterkomen.

Davis liet zijn hoofd op zijn knieën zakken. 'Je had je hier niet mee mogen bemoeien,' zei hij.

'Ik wist helemaal wat die *hier* was, Davis.'

'Wat doe je hier dan?'

'Het is allemaal jouw schuld,' zei ik. Ik vertelde hem dat ik wist dat hij het brein achter die spiekbrief was en dat ik hem was gevolgd omdat ik dacht dat hij me er nog eens in probeerde te luizen en ik hem op heterdaad wilde betrappen.

185

'Wel, gefeliciteerd, Sherlock,' zei hij. 'Je hebt me betrapt.'

Ik keek naar de gesloten deur. 'Wat denk je dat hij met ons zal doen?'

Het hoofd van Davis veerde weer op. 'Met ons?' zei hij. 'Niks. Met jou? Je hebt het echt verprutst, Chloe. Als je het nog niet had gemerkt: Gary is geen lieverdje.'

Mijn maag voelde alsof er een voorstelling van het Cirque du Soleil in plaatsvond. Een hond die naar de naam Dracula luisterde, stond me te bewaken tot een griezel die Gary heette, terug zou komen. En een idioot, die Davis heette en bij een ongure zaak was betrokken, probeerde de schuld in mijn schoenen te schuiven. Als ik met Phoebe en Levesque naar Toronto was gegaan, zat ik nu veilig in een hotel.

'Hoe ben je eigenlijk bij die Gary verzeild geraakt?'

Niks. Davis staarde naar de muur tegenover hem.

'Jezus, Davis...'

'Ik was bezig aan een scenario om me kandidaat te stellen voor het CFI,' zei hij. 'Ik had echt een fantastisch idee...'

'Wat? Hoe je iemand ongestraft kunt vermoorden?'

Hij keek me vermoeid aan. 'Over jongeren op de dool,' zei hij.

'Sarah zei dat het over een dief ging.'

'Daarover ook,' zei Davis. 'Maar goed, ik was hier laatst in de buurt en toen zag ik een bungalow, een zomerhuisje. Het raam stond een beetje open.' Hij aarzelde en keek me aan. 'Ik besloot om er naar binnen te gaan.'

186

'Er in te breken, bedoel je.'

'Ik zei toch net dat het raam open stond.'

'Oh, da's waar ook, dan mag het natuurlijk.'

'Wat heb jij toch?' vroeg hij boos; 'Jij hebt ook maar één rol, hè? Die van sarcastisch kreng.'

'Sorry,' zei ik. Ik meende er niks van.

'Ik wilde gewoon voelen wat een dief voelt als hij in het huis van iemand anders staat – helemaal alleen.' Hij schudde zijn hoofd. 'Niet lang daarna liep ik Gary tegen het lijf. Ik was echt verbaasd hem hier te zien.'

'Kende je hem dan al?'

'Ik heb hem in Toronto ontmoet toen ik aan die serie over straatkinderen werkte. Ik zag hem en zijn hond heel vaak in de stad rondlopen. Best een coole vent.'

'Een echte Tony Soprano,' zei ik.

Davis haalde zijn schouders op. 'Hij was niet altijd even koosjer. En wat dan nog?'

'Wat bedoel je, niet altijd even koosjer?'

'Ze zeiden dat hij inbraken pleegde. Ze zeiden dat hij daar heel goed in was. In elk geval, we raakten aan de praat en ik vertelde hem waar ik mee bezig was. Hij was echt geïnteresseerd, weet je. Hij stelde voor om me een paar dingen te laten zien, me een paar ideetjes te geven voor mijn scenario.'

'En jij zei ja?'

Davis knikte.

Ik wilde het uitschreeuwen. Ik zat opgesloten in dit kamertje en werd bewaakt door een moordenaar op vier poten omdat zo'n rijk stadsjongetje Quentin Tarantino had willen spelen en het volledig had verprutst.

'Schijnwaarheid,' zei ik. 'In dat begrip zou je je eens moeten verdiepen.'

'Hè?'

'Het is perfect mogelijk om over misdadigers te schrijven zonder dat je ook echt een misdaad moet begaan, Davis. Je hoeft het niet echt te doen. Je moet het gewoon echt laten lijken.'

'We hebben nooit iets weggepakt,' zei hij. 'We gingen gewoon naar binnen en keken wat rond. Ben jij ooit ergens binnen geweest waar niemand thuis was? In het huis van een wildvreemde? Dat is fantastisch! En je komt van alles te weten van mensen door wat ze laten rondslingeren. Je weet wel, tijdschriften onder het bed of geheimpjes van mama en papa in het nachtkastje.'

Ik wist min of meer waar hij het over had. Ik had het ook heel opwindend gevonden om hem te volgen, hem in de gaten te houden zonder dat hij wist dat iemand hem zag. Maar dat ging ik hem niet aan zijn neus hangen.

'Schending van de privacy als amusement,' zei ik.

Hij keek me geïrriteerd aan. 'Ik dacht dat ik er meer inzicht door zou krijgen.'

'Waarin?'

'In de geest van de kleine crimineel,' zei hij.

Dat Tarantino-gezeik weer.

Ik dacht aan Gary en Dracula. Ik dacht aan Gary die zou terugkomen met een volle tank. Ik vroeg me af wat er daarna zou gebeuren. Ik begon weer over heel mijn lichaam te beven.

'We moeten hier uit, Davis.'

Hij zei niets.

'Waarom ben je er zo zeker van dat hij jou niks zal doen?' zei ik. 'Hij heeft je op inbraak betrapt.'

'Hij heeft me al in de tang,' zei hij. Hij klonk daar niet gelukkig om en als hij net zo bang was voor wat er ons wel of niet te wachten stond, kon hij het goed verbergen. Hij klonk vooral of hij het had opgegeven.

'Je hebt gehoord wat hij zei... en doe nu niet of je het niet hebt gehoord. Hij was niet eens ter plaatse.'

Hij zei niet over welke plaats hij het had. Dat hoefde hij niet te zeggen. Ik wist dat hij de bungalow van Stanley Meadows bedoelde.

'Wat staat er op die foto's, Davis?'

Geen antwoord.

'Davis, hij komt terug. Ik heb het gevoel dat dat voor mij geen goeie zaak is. Ik heb ook het gevoel dat jij hem niet zal verhinderen om te doen wat hij van plan is. Je bent het me tenminste verschuldigd om me te vertellen wat dit allemaal te betekenen heeft.'

Een paar hartslagen lang, niks. En toen: 'Hij zei dat als hij me liet zien hoe ik het moest doen, hij er zeker van wilde zijn…'

'Het doen? Inbreken, bedoel je?'

Hij knikte. 'Hij wilde een garantie dat ik hem niet zou verlinken. Dus nam hij in elk huis waar we inbraken foto's van mij. Op die manier kon hij bewijzen dat ik medeplichtig was als ik het aan iemand vertelde.'

Dat bewees dat Gary's hersenen op volle toeren draaiden, maar het zei niet veel over Davis. Maar ja, ergens inbreken was nu ook niet meteen het summum van intelligentie.

'Wat is er in het huis van Meadows gebeurd?' vroeg ik.

Davis draaide zijn hoofd weg. Ik hoorde hem zwaar slikken. Voor hij zijn hoofd weer naar mij draaide, wreef hij er met zijn hand over.

'Ik ging ermee stoppen. Na drie keer ging ik ervan uit dat ik alles wist wat er te weten valt. Trouwens, het werd saai.'

Ik wachtte.

'Toen zei Gary dat hij me iets bijzonders wilde laten zien. Hij zei dat ik er een echte kick van zou krijgen. Hij zei waar ik hem moest ontmoeten.'

'En dat was…?'

'Aan de achterkant van de bungalow.'

'De bungalow van Meadows?'

Hij knikte. 'Gary stond daar op me te wachten. Hij had de omgeving al verkend. Dat deed hij altijd. Toen zei hij: Ga je gang, deze is voor jou.'

'Wat bedoelde hij daarmee?'

'Dat hij het werk zelf aan mij zou overlaten.' Sinds wanneer werd inbreken beschouwd als werk? 'Ik zou ook als eerste naar binnen gaan.' Hij staarde naar de muur tegenover hem terwijl hij verderging. 'Dus dat deed ik. Ik dacht dat het geweldig zou zijn, snap je?' Eigenlijk niet, nee. 'Ik ging naar het achterraam. Ik kreeg het open. Ik begon erdoor te kruipen. Net voor ik mijn hoofd erdoor stak, gaf Gary me iets in mijn handen.'

Een revolver, dacht ik.

'Een revolver,' zei hij.

'Jezus, Davis!' Ik bedoel, hoe achterlijk kon je zijn?

'Heb je ooit een revolver vastgehad?'

Ik schudde mijn hoofd. De revolver van Levesque slingerde wel eens rond in huis, maar hij had ons heel duidelijk gemaakt wat er zou gebeuren als iemand het waagde hem aan te raken. Ik werk mezelf zo al genoeg in de nesten.

'Ze zijn zwaarder dan je zou denken,' zei Davis. 'Compacter, weet je wel? De enige revolver die ik ooit had vastgehad, was een speelgoedrevolver toen ik een kind was. Toen Gary deze in mijn handen stopte, liet ik hem bijna vallen. Dat vond Gary hilarisch. 'Pak aan,' zei hij. 'Dan voel je je een echte. En dat is toch wat je wilt, hè Davis, een echte zijn?''

'Besef je wel hoe ernstig dat is, inbreken met een revolver?'

Hij keek me vermoeid aan. Als hij dat niet had geweten toen hij binnendrong in de bungalow van Stanley Meadows, wist hij het nu maar al te goed.

'Het was donker binnen, net als op alle andere plaatsen waar we al hadden ingebroken. Ik ging naar binnen. Toen hoorde ik opeens iets. Een geluid, alsof er nog iemand anders in het huis was. Alleen was dat onmogelijk, want Gary hing nog steeds buiten ergens rond. Toen verscheen er een schim in een deuropening. Een man. Hij had een geweer of zoiets. En hij richtte het recht op mij. Hij zei niet: 'Halt of ik schiet.' Hij zei niks. Hij richtte dat ding op mij en mikte en...'

'Jij schoot hem neer?'

'Hij ging me *vermoorden*. Hij was niet van plan om me eerst te waarschuwen. Die vent wilde me gewoon neerknallen. Dus, ja, ik raakte in paniek en schoot. Ik wist niet of ik hem zou raken, maar om eerlijk te zijn, hoopte ik van wel. Man, wat hoopte ik dat het raak zou zijn!'

'Het had zelfverdediging kunnen zijn,' zei ik. 'Maar die man is wel dood en hij deed niets anders dan zijn eigendom verdedigen tegen een gewapende indringer.'

'Die foto's linken me aan elk huis waar we hebben ingebroken,' zei Davis.

'En Gary was waarschijnlijk al lang in geen velden of wegen meer te bespeuren toen je Meadows neerschoot.'

Davis knikte. 'Je begrijpt mijn probleem,' zei hij.

Ik begreep mijn eigen probleem ook steeds beter.

'Je had je toch kunnen gaan aangeven bij de politie,' zei ik.

'Had ik kunnen doen, ja,' zei Davis zonder veel overtuiging.

Een paar ogenblikken zaten we zwijgend naast elkaar, allebei in onze eigen gedachten verzonken. Gary zou zo terugkomen. En dan? Hij wist dat ik te veel had gehoord. Hij zou me uit de weg willen ruimen. En Davis dan? Vormde hij ook een probleem of was hij het beste alibi dat Gary zich kon dromen?

'Die Meadows,' zei ik, 'waar kwam die vandaan?'

'Hoe bedoel je?'

'Je zei dat hij zomaar uit het niets opdook. Waar denk je dat hij vandaan kwam?'

Davis haalde zijn schouders op. 'Hoe moet ik dat nu weten? Hij was daar gewoon.'

'Je hebt hem niet de oprit horen oprijden?'

'Nee.'

'Dus je denkt dat hij al die tijd in de bungalow was.'

'Dat moet haast wel. Jezus, Gary was wel echt waardeloos als verkenner.'

Dat was één mogelijkheid.

'Jij wist toch dat Meadows zich daar schuilhield, hè?' zei ik.

Dat wekte een sprankeltje interesse.

'Hij moest tegen zijn zakenpartner gaan getuigen,' zei ik. 'Maar nu is hij dood. Heel handig.'

'Wat bedoel je eigenlijk?'

'Zijn auto stond in de garage, Davis.'

Hij staarde me aan zonder iets te zeggen. Zijn blik stond op oneindig, alsof ik helemaal niets had gezegd.

'Zijn auto stond in de garage naast de bungalow,' zei ik. 'Als Gary de omgeving had verkend, moest hij de auto hebben gezien. Als hij de auto zag, moest hij hebben geweten dat er iemand thuis was. Of dat er iemand in de buurt was en dat die persoon elk moment kon thuiskomen. Op de andere plaatsen waar je hebt ingebroken, stond er nooit een auto. Als bungalows verlaten zijn, staat er geen auto bij.'

'En wat zou dat?' zei Davis. Maar ik zag aan het groeiende afgrijzen in zijn ogen dat hij het had begrepen.

'Ik bedoel dat je er misschien bent ingeluisd.'

Hij schudde zijn hoofd, zoals je doet als je een schitterend examen hebt afgelegd en dan het examenblad terugkrijgt en er een vette rode F op de eerste bladzijde staat.

'Het houdt steek, Davis. Als Meadows net voor je het huis binnendrong of was aangekomen terwijl je al binnen was, had je hem gehoord. De oprit is van grind. Dat maakt heel veel lawaai als er een auto over rijdt. Dus zat hij al in de bungalow toen jij er inbrak. Dat betekent dat zijn auto al in de garage stond. Wil je me vertellen dat Gary niet in de garage heeft gekeken toen hij de omgeving voor je ging verkennen?

Links, rechts, links, rechts. Het hoofd van Davis knikte langzaam heen en weer.

'Drie inbraken zonder revolver en dan opeens stopt Gary er een in je handen en laat hij je helemaal alleen binnendringen in de bungalow van een man die zich schuilhoudt omdat hij tegen zijn zakenpartner moet getuigen en bang is dat er hem iets ergs zal overkomen als iemand erachter komt waar hij is. Lijkt je dat niet op z'n minst vreemd? En er is geen enkel bewijs dat Gary in de buurt was. Er is alleen een serie inbraken en een reeks foto's waarop jij staat in te breken. Jezus, Davis, waarom schilder je niet gewoon een levensgrote schietschijf op je borst?'

Hij trok zijn ogen steeds wijder open, terwijl hij dit allemaal tot zich door liet dringen.

'We moeten hier weg voor Gary terugkomt,' zei ik.

'Ik heb die man vermoord.' Zijn stem klonk vlak, dood.

'We moeten naar de politie. Je moet hen precies vertellen wat er is gebeurd.'

'Ik heb die man vermoord,' zei hij opnieuw. 'Ik kan niet...'

Ik hoorde een geluid, een soort gebrom. Toen een portier dat open en dicht zwaaide. Gary.

'Davis, je moet me helpen.'

Hij schudde zijn hoofd, langzaam maar vastberaden.

'Dat kan ik niet,' zei hij. 'Voor mij is er toch geen hoop meer.'

15

In de volgende paar seconden hoorde ik duizend-en-één geluiden. Voetstappen op de veranda van de bungalow. Een sleutel in het slot. De zucht van een openzwaaiende deur en de klap van een dichtslaande deur. De teennagels van een hond, eerst op een houten vloer en dan op linoleum. Gary's stem, zacht, sussend tegen de hond. Mijn hart dat in mijn keel klopte. Een gefluisterd schietgebed.

Ik keek naar Davis. Hij ontweek mijn blik. Hij zat op de vloer met zijn benen tegen zijn borst en zijn armen rond zijn knieën. Ik staarde naar hem, maar dacht aan iets anders. Ik dacht maar aan één ding – aan één woord dat als een gigantisch neonlicht in het donker flikkerde: GEVAAR.

Een paar ogenblikken – een paar uren? – gingen voorbij voor Gary het slot van het kamertje waar Davis en ik zaten te wachten, opendraaide. Davis sprong op toen hij de sleutel in het slot hoorde glijden. Hij schudde zich, alsof hij probeerde om vuil of slijk of de stank van iets van zich af te schudden. De misselijke, zorgelijke blik verdween uit zijn ogen. Hij zag er weer cool uit, beheerst, een kerel in het zwart die zijn zonnebril zou hebben opgezet als het niet donker was.

De deur zwaaide open en Dracula gooide zich in de kamer. Gary greep de ketting om zijn nek vast en trok hem ruw terug. Hij grijnsde naar mij.

'Ik heb gehoord dat je pappie de stad uit is,' zei hij. 'Je hele familie is de stad uit. Ze blijven weg tot, wanneer, zondag of zo?'

Welke idioot had hem dat aan zijn neus gehangen?

'Twee dagen is een lange tijd,' zei hij. 'Genoeg tijd om jezelf behoorlijk in de nesten te werken.'

'Zou je dat wel doen?' zei Davis. 'Ze is de dochter van een smeris.'

Alsof dat de enige reden was waarom het geen goed idee was om me kwaad te doen.

'Als de papa van huis is,' zei Gary.

Dansen de ratten op tafel, dacht ik.

'Die jonge smeris stond bij het benzinestation. Ik hoorde hem tegen die ouwe vent die de boel daar exploiteert, praten. Het opperhoofd is in Toronto voor privé-zaken. We hebben vrij spel.'

'Ja, maar...'

'Geen paniek, Dave,' zei Gary vriendelijk. Hij zag er ontspannen uit, zoals iemand die net terug was van een vakantie van drie weken of een massagebeurt van drie uur.

'Ze gaat gewoon verdwijnen. Er zijn hier genoeg plekken waar je vermist kan raken. Nietwaar, Dave?'

Zeg nee. Maak het hem moeilijk, Davis.'

Davis knikte.

'En jij gaat daarvoor zorgen, hè, Davis?' zei Gary. 'Omdat jij heel veel te verliezen hebt, mijn vriend. Zij vertelt pappie alles wat ze weet en dan kun je het wel schudden, als je begrijpt wat ik bedoel.'

Davis zei niets.

'Wees nu een flinke jongen, Dave en doe gewoon wat je wordt gevraagd. Dan vallen die foto's niet in de verkeerde handen. Eerst verdwijnt zij, dan verdwijn ik en zie je me niet meer zolang je je mond houdt. En denk eraan, ik heb alleen maar op een paar plaatsen ingebroken. Ik heb nergens iets genomen – behalve die foto's, natuurlijk. In de laatste bungalow heb ik zelfs nooit een voet gezet.' Hij grinnikte. 'Als jij voor mij zorgt, zorg ik voor jou. Zo simpel is het.'

Davis glimlachte niet terug. Hij protesteerde ook niet. 'Wat moet ik doen?' zei hij.

Gary haalde zijn schouders op. 'Je zou misschien een boswandeling kunnen gaan maken. Ergens hier vandaan. Ergens waar niemand zou gaan zoeken.' Hij gaf me mijn rugzakje, hielp me zelfs mijn armen door de draagriempjes te steken. 'Je moet netjes zijn als je buiten gaat wandelen,' grijnsde hij. 'Oh, en je mobieltje? Het leek wel of daar iets mis mee was. Het werkte opeens niet meer.'

Hij gooide een stuk nylonkoord naar Davis. 'Trek maar stevig aan, Davis. Ik controleer het. Ik deel geen medailles uit, maar ik kan heel gemene stafpunten bedenken, als je begrijpt wat ik bedoel.'

Davis ving het koord op en gebaarde naar me dat ik me moest omdraaien.

Toen ik aarzelde, liet Gary Draculas leiband een beetje vieren. Ik draaide me om.

Misschien was Davis in een vorig leven bij de padvinders geweest, want hij kende zijn knopen.

'Prima,' zei Gary toen hij aan het koord had gerukt. Hij haalde een lap stof ergens vandaan, rolde hem op tot een blinddoek en snoerde er mijn mond mee. Toen zei hij: 'Kom op.'

Dracula gromde.

Toen we buitenkwamen, zag ik tot mijn verbazing dat de zwarte lucht bezaaid was met sterren. De nachtelijke lucht was helder en fris en rook naar bomen in bloei. Ik haalde diep adem en werd beloond met de geur van den en spar, aroma's waar ik van zou hebben genoten als ik niet zo bang was geweest.

Gary duwde me naar een auto die op het grind voor de bungalow stond. Hij opende een van de achterportieren en liet me instappen. Toen ik niet bewoog – ik kon niet bewegen, ik kon het niet omdat ik wist dat als ik nu een rit in die auto zou maken, het mijn laatste rit zou zijn – liet Gary Draculas leiband weer een beetje vieren om me op te jagen. Trillend, misselijk, vechtend tegen mijn tranen, strompelde ik zo goed en zo kwaad als het kon met samengebonden handen op de achterbank. Gary gooide de autosleutels naar Davis. Toen trok hij het voorportier open en maakte hij de leiband van Dracula vast aan de hoofdsteun.

'Stap in,' zei Gary tegen Davis. 'En denk eraan, ik zit vlak achter je.' Hij trok zijn jas open om de kolf van de revolver te laten zien, die onder zijn riem vandaan piepte.

Davis bood geen weerstand. Ik hoopte dat zijn hele verdere

leven één hoop ellende zou zijn. Dat hoopte ik zelfs nog vuriger toen hij daar met die autosleutels in de hand onder de Grote Beer stond en zei: 'Ik weet een goeie plek.'

Stilte.

'Een goeie plek om te verdwijnen,' zei hij. 'Ergens waar nooit iemand komt.'

Gary glimlachte toen hij naast me op de achterbank klom.

Ik zat in de auto naar het achterhoofd van Davis te staren en dacht aan elke film die ik had gezien waarin een of andere arme stakker op het punt staat om voorgoed te verdwijnen. Ik bedacht dat ik, als ik had geweten wat ik nu wist, nooit naar die films zou hebben gekeken. Ze hadden er toch geen flauw idee van hoe het in het echt was?

Mijn handen waren op mijn rug gebonden, Gary kon ze niet zien. Ik draaide mijn vingers om het koord vast te grijpen. De knoop voelde vreemd aan. Het was geen platte knoop, dat wist ik. Maar ik kreeg hem niet los.

Davis reed achteruit de oprit af, heel voorzichtig, alsof hij zijn grootmoeder op zondagochtend naar de kerk bracht. Toen sloeg hij rechtsaf.

'Volgens het boekje,' waarschuwde Gary hem. 'Niet te snel, geen geintjes.'

Er flikkerde irritatie in Davis' ogen toen hij in de achteruit-kijkspiegel naar Gary keek.

'Denk je dat ik geklist wil worden?' zei Davis. 'Denk je dat ik mijn leven beu ben?'

Dat was blijkbaar precies wat Gary wilde horen, want hij maakte het zich makkelijk naast me op de bank.

'Waar gaan we naartoe?' vroeg hij.

'Naar de perfecte locatie,' zei Davis. 'Een plek die ik onlangs heb ontdekt.'

Hij reed om het zuidelijkste punt van het park heen en toen noordwaarts, langs de oostelijke rand. Uiteindelijk draaide hij naar links en stuurde hij de auto eerst een zijweg en ten slotte een smal paadje op. Hij stopte tussen de bomen en zette de motor uit.

Gary stapte uit.

'Maak de koffer open,' zei hij.

Ik hoorde een dof *ka-chonk* toen Gary zijn arm naar binnen stak en me de auto uit trok. Hij hield het koord rond mijn handen stevig vast, hief het deksel van de koffer op en haalde een zaklantaarn tevoorschijn. Hij knipte hem aan. Ik hoorde de deur van de chauffeur openzwaaien en draaide me om naar Davis' silhouet in het donker.

'We moeten een eindje het bos in,' zei Davis. 'Het is niet ver.'

Gary stond nog steeds in de koffer te rommelen. Eerst zag ik niet wat hij eruit haalde. Toen riep hij naar Davis. 'Vang!'

In de straal van de zaklantaarn zag ik een schop door de lucht vliegen. Davis ving hem handig op. Ik verstijfde van angst. Gary gooide de koffer weer dicht. Hij had nog een stuk touw in zijn handen en maakte een knoop in het midden. Ik fronste mijn wenkbrauwen. Wat was hij…? Toen begon ik weer over mijn hele lichaam te beven. Gary greep me bij de arm en sleurde me om de auto heen naar het voorste portier. Dat trok hij open en toen maakte hij de leiband van Dracula los.

'Niks daarvan,' zei Davis.

'Hoe bedoel je, niks daarvan?' zei Gary.

'Als je wilt dat ik dit doe, doe ik het zonder de adem van dat beest in mijn nek,' zei Davis. 'Hij blijft in de auto.'

Gary aarzelde.

'Wil je dat ik zenuwachtig word?' zei Davis. 'Wil je dat je het zelf moet doen, je handen moet vuilmaken?'

Gary betastte de revolver in zijn riem. 'Sorry, jongen,' mompelde hij tegen Dracula voor hij het portier weer dichtgooide. 'Welke kant op?' vroeg hij toen hij de centrale vergrendeling activeerde. Dracula was opgesloten. Onder andere omstandigheden zou ik dolblij zijn geweest.

Davis had zijn eigen zaklantaarntje uit zijn zak gehaald. Hij scheen ermee naar rechts.

'Daar is een oud pad,' zei hij.

Misschien was het de paniek, maar ik had even nodig om tot me te laten doordringen wat Davis blijkbaar al wist. Die stadsjongen was een raadsel. Hij had Gary naar de meest afgelegen plek van het park geleid en dat in het midden van de nacht. Het pad dat hij aanduidde, leidde naar Puzzle Rock.

Davis liep voorop. Gary duwde me voor zich uit. We liepen langzaam over een overwoekerd pad tot we uiteindelijk bij de uitlopers van de leistenen rots kwamen. De straal van Gary's zaklantaarn danste eroverheen. Hij gromde.

'Weet je zeker dat dit een goeie plek is?' zei hij.

Davis knikte. 'Ik zei het toch, hier komt niemand. Een paar jaren geleden is er hier een jongen van daarboven van de rots gevallen. Hij was bijna dood.' Als hij mij en zichzelf niet zo diep in de nesten had gewerkt, zou ik nog onder de indruk zijn geweest. Hij had blijkbaar zijn huiswerk gemaakt. 'Deze plek is taboe.'

Mijn hele lichaam begon te tintelen. Ik had het bizarre gevoel dat het niet meer van mij was, dat het niet meer was dan iets wat ik droeg, iets wat ik van me af kon schudden als ik wilde. Ik zweefde verder in die kleren met Davis voor me, Gary achter me en vroeg me bijna onverschillig af – zoals je je afvraagt wat je moeder heeft gekookt – of Davis van plan was om me van de top van Puzzle Rock te duwen. Ik weet niet hoe ver we liepen, of hoe snel. Het leek maar een fractie van een seconde te duren en tegelijkertijd de hele nacht. Toen boorde de straal van Davis' zaklantaarn zich door de nacht en zag ik de knoestige wortel van een ceder die als een teen tegen een gigantische leistenen rots plakte. We waren er.

'Hier zal niemand haar komen zoeken,' zei Davis. Hij duwde me naar de muur van leisteen.

Een tweede lichtstraal verkende de plek. 'Je zou hier lelijk kunnen vallen,' zei Gary. Dat leek hem blijkbaar een aangenaam idee. Ik weet niet wat Davis van plan was toen hij me hierheen bracht, maar ik hoefde geen helderziende te zijn om te weten wat Gary van plan was.

'Ja, je zou hier heel lelijk kunnen vallen,' zei Davis. 'Het zou zelfs een ongeluk kunnen lijken, wat het voor iedereen nog makkelijker zou maken.'

Behalve voor mij dan.

Opeens gaf Davis een gil en vloog hij op me toe.

'Wat is…?' riep hij. 'Daar is iets.'

'Wat?' zei Gary. Hij leek opeens niet meer zo ontspannen. De straal van zijn zaklantaarn zwiepte weg van Puzzle Rock en boorde zich in de nacht achter Davis.

Toen gebeurde er van alles tegelijkertijd.

Eerst rukte er iets zo hard aan mijn polsen dat mijn armen bijna uit hun kom vlogen. Toen, ik weet niet eens hoe, waren mijn handen bevrijd uit het touw en kreeg ik iets in mijn ene hand gestopt. Iets van metaal. Iets cilindervormigs. Toen gaf iemand me een harde duw die me naar Puzzle Rock katapulteerde.

'Rennen!' siste een stem.

De cilinder was een zaklantaarntje, hetzelfde dat Davis had gebruikt om naar de bungalow van Gary te gaan. Ik knipte het aan terwijl ik naar Puzzle Rock rende en die oude vertrouwde plek zocht. Achter me hoorde ik Davis het uitschreeuwen. Van de pijn, leek het. Pijn die Gary hem had aangedaan? Ik wist het niet. Ik rende. Eerst dacht ik dat ik het merkteken dat de ingang aanduidde, nooit terug zou vinden. Ik wou dat ik het groter had gemaakt. Toen opeens zag ik het wel. Ik knipte mijn zaklantaarn uit en rende er in het donker naartoe. Toen ik tussen de rotsen stond, stopte ik een fractie van een seconde om te horen wat er achter me gebeurde. Op de wand vlak achter me zag ik de straal van een zaklantaarn dansen, maar ze vond mij niet. Ze kon mij niet vinden, ik zat al te diep in de doolhof.

'Wat is er aan de hand? Wat is er gebeurd?' schreeuwde Gary. 'Als je...'

'Ik weet het niet!' De stem van Davis klonk paniekerig. 'Er kwam iets op me af. Heb je het gezien?'

'Waar is het meisje?'

'Ik denk dat ze die kant op is gegaan,' zei Davis. Ik wist niet welke kant hij op wees en bleef niet staan treuzelen om het te weten te komen.

'Geef me de autosleutels,' zei Gary.

'Oh, nee,' kreunde Davis.

'Wat?'

'Ik denk dat ik ze in het contact heb laten zitten.'

Gary vloekte. Davis verontschuldigde zich.

'Waar ga je naartoe?' zei Davis.

'Waar denk je dat ik naartoe ga? Terug naar de auto om

Dracula te halen. Begin maar vast te bidden, Davis, begin maar vast te bidden dat ze niet ontsnapt.'

Ik weet niet wat Davis deed, maar ik bad alvast het tegenovergestelde. Ik baande me zo snel als ik kon een weg door Puzzle Rock. Ik stopte zelfs geen seconde om te weten wat er achter me gebeurde, ik rende maar verder. Toen ik aan de andere kant uit het doolhof kwam, dacht ik dat ik in de verte iets hoorde grauwen. Dracula? Nee, Gary kon onmogelijk zo snel terug bij de auto zijn geweest. Ik moest het me hebben verbeeld. Maar ik trok een gouden-medaille-sprint tussen de bomen, spurtte, spurtte en hijgde en spurtte tot mijn knieën het uitgilden en ik het gevoel had dat mijn longen zouden barsten. Ik hoorde weer geschreeuw achter me. Gary, denk ik, maar ik wist het niet zeker. Toen spuwde het park me opeens uit. Vlak voor me lag de spoorweg en achter de spoorweg, een halve kilometer verder, lag mijn huis. Terwijl ik over het open veld spurtte, besefte ik dat het naast het gestomp van mijn voeten op de harde aarde en het gebons van mijn hart in mijn keel, muisstil was. De stilte voor de storm?

Ik stak de spoorweg en het open veld over. In de verte stonden huizen. Een ervan was dat van mij. Ik rende ernaartoe. De hele tijd dat ik rende, verwachtte ik dat Dracula op me zou springen en zijn tanden in mijn nek zou boren. Mijn huis kwam dichter- en dichterbij. De rest van de wereld viel weg. Er was alleen nog mijn huis. Stevig. Veilig. Ik was nu aan de overkant van de weg. Ik liep op de oprit. Ik stond op de veranda. Ik zocht met trillende vingers in mijn rugzakje. Sleutels. *Sleutels!* Oh, alsjeblieft, laat me mijn sleutels vinden. Mijn vingers grepen rond iets van metaal. Ik rukte mijn sleutelbos uit mijn rugzak en zocht de juiste sleutel. Er waren er maar drie, maar ik moest vijf keer proberen tot ik de juiste in het slot kon steken. Toen, ik kon het nauwelijks geloven, stond ik binnen en sprong Shendor tegen me op. Hij was blij me te zien. Ik was nog blijer om haar te zien. Ik sloot de deur en rende naar de keuken, naar de telefoon.

Ik toetste het nummer van het mobieltje van Levesque in. Het kon me niet schelen dat hij honderden kilometers hier vandaan was. Ik toetste het nummer en toen ik zijn stem hoorde, begon ik zo erg te beven, dat ik dacht dat ik flauw zou vallen. Ik dreunde mijn verhaal in één adem af.

'Leg neer,' zei hij.

Ik kon niet bewegen.

'Leg neer, Chloe. Ik bel nu naar Steve en dan bel ik je meteen terug. Hoor je me?'

Ik knikte.

'Chloe?'

'Ja,' zei ik. 'Ik hoor het.'

Zelfs na alles wat ik deze nacht had meegemaakt, was die telefoon neerleggen het moeilijkste wat ik ooit had gedaan. Maar ik deed het en toen ging ik op het midden van de keukenvloer zitten en spitste ik mijn oren om de geluiden in de nacht te horen, de geluiden van gevaar. Shendor kwam bij me op de vloer liggen en vleide haar hoofd op mijn schoot neer. Ze voelde warm en geruststellend aan. Toen de telefoon een paar ogenblikken later rinkelde, sprong ik bijna uit mijn vel. Shendor ook.

'Alles goed?' zei Levesque.

Ik kon nog net een zielig 'Ja,' uitbrengen en legde mijn hand toen over het mondstuk, zodat hij niet zou horen dat ik was beginnen te huilen.

'Steve is op weg naar jou,' zei Levesque. 'Ik blijf aan de lijn tot hij er is. En ik heb de politie van Carlisle gebeld. Ze sturen een paar agenten naar het park. Alles komt in orde.'

'Maar Davis…'

'Alles op zijn tijd,' zei Levesque. 'Goed?'

'Goed,' zei ik. Mijn stem beefde.

'Zeg iets tegen mij, Chloe. Vertel me over je werkstuk voor geschiedenis.'

Hè?

'Waar ging dat ook weer over?'

'*Les filles du roi*,' zei ik.

'Oh, ja. Over jonge meisjes die uit Frankrijk werden verscheept om met de pelsjagers en *habitants* van New France te trouwen, hè? Hoeveel waren er dat zo?'

Ik vertelde het hem. Onder zijn aanmoediging vertelde ik hem alles wat ik wist over het onderwerp. Ik bracht de tijd door tot de bel ging.

'Er is iemand aan de deur,' zei ik in de hoorn.

'Chloe?' riep een stem. Het was de stem van Steve Denby.

'Het is Steve,' zei ik in de hoorn.

'Laat hem binnen.'

Ik liep met de telefoon naar de voordeur en gluurde door het raampje. Het was Steve. Ik draaide het slot open om hem binnen te laten. Ik had zin om hem te knuffelen.

'Alles goed met je?' vroeg hij.

Ik knikte. Ik hoorde een verre stem in de hoorn in mijn hand. Ik hield de hoorn tegen mijn oor en gaf hem toen aan Steve.

'Hij wil je spreken,' zei ik.

Steve luisterde even naar de telefoon en liep toen naar de keuken.

'Ze zijn onderweg,' zei hij tegen Levesque. En toen: 'Maak je maar geen zorgen. Ze blijft bij mij tot dit voorbij is.' En toen: 'Doe ik.' Hij legde neer en draaide zich naar mij. 'Kom,' zei hij. 'Ik neem je mee naar de stad. Je kunt me onderweg alles vertellen.'

Ik vertelde hem wat er was gebeurd vanaf het ogenblik dat ik had besloten om Davis te volgen tot ik had gerend voor mijn leven.

'Davis heeft het gedaan,' zei ik. 'Hij heeft Stanley Meadows doodgeschoten.'

Ik vroeg me af waar hij nu was. Ik vroeg me af of Gary had begrepen dat Davis me had helpen ontsnappen. Zo ja, wat had hij dan met Davis gedaan? Ik vroeg me af of ik hem en zijn stomme zonnebril nog ooit terug zou zien.

16

Toen we aankwamen, stopte er net een OPP-cruiser voor het politie-bureau. Steve liet me uit de auto en zei dat ik naar binnen moest gaan terwijl hij met de OPP-officers zou gaan praten. Ik keek naar de OPP-auto en dacht dat ik iemand op de achterbank zag zitten, maar ik wist het niet zeker. Ik ging naar binnen, nestelde me in de stoel van Levesque en wou dat ik een jas had aangetrokken. Ik bleef maar denken aan Gary en Dracula. Ik had het gevaar in de ogen gekeken, ik was er bijna door opgeslokt. Als Davis zich op het laatste nippertje had bedacht, als we niet bij Puzzle Rock terecht waren gekomen, als ik Davis niet had verteld wat ik over Puzzle Rock wist, als, als, als…

De deur van het politiebureau zwaaide open. Steve en de OPP-officers kwamen naar binnen. Ze hadden iemand bij zich.

Davis zag er belabberd uit. De knieën van zijn zwarte jeans zaten vol modder. Een elleboog van zijn leren jack was zwaar gehavend. Zijn haar stak alle kanten uit. Op zijn gezwollen wang zat een snijwond. Zijn ogen schoten meteen naar mij toe en hij knikte. Later kwam ik te weten dat hij de OPP-cruiser op de auto-snelweg had laten stoppen.

Steve liet hem gaan zitten en naar zijn moeder bellen. Even later kwam ze opdagen. Zij en Davis verdwenen in een kamer met Steve en een van de OPP-officers. Het duurde niet lang voor de OPP-officer weer naar buiten kwam om te overleggen met zijn collega's. Toen gingen ze weg. Ik hoorde hun auto wegrijden.

Ik zat bijna een uur alleen aan de werktafel van Levesque voor Steve weer binnenkwam.

'Dit zal nog een tijdje duren, Chloe,' zei hij. 'Zal ik iemand voor je bellen? Misschien kun je een tijdje bij een vriend blijven?'

Ik schudde mijn hoofd. 'Ik red me wel,' zei ik. Niemand had gezegd waar Gary en Dracula waren, dus veronderstelde ik dat ze nog steeds op vrije voeten waren. En als dat zo was, wilde ik hierbinnen zitten, in het politiebureau.

Steve probeerde niet om me over te halen. Hij verdween weer. Ik keek om me heen. Er stond een halve kan koffie op een kookplaat. Ik had er geen idee van hoelang die daar al stond en het kon me ook niet schelen. Ik stond op en schonk mezelf een kop in. Toen ik hem meenam naar waar ik had gezeten, kwam ik langs de werktafel van Steve. De plastic envelop waar de bladzijde van de Oxford Canadian Dictionary in zat, lag bovenop zijn IN-bakje. Vlak ernaast lag zijn boek over vingerafdrukken. Het zat vol gele notitieblaadjes. Ik pakte het op en nam het mee naar de werktafel van Levesque. Het zou me wat te doen geven terwijl ik zat te wachten. Maar waar ik nu eigenlijk op zat te wachten, dat wist ik ook niet.

Ik bladerde door het boek. De eerste vijftig bladzijden bleef ik Dracula's dreigende tanden overal zien. Maar toen opeens was hij verdwenen. Misschien kwam dat omdat Steve in de kamer ernaast zat. Hij had een revolver en wist die ook te gebruiken. Of misschien was het omdat ik in de stoel van Levesque zat.

Langzaamaan begon ik me weer veilig te voelen.

Ik zat te lezen over de verdiensten van iets dat ninhydrin heette, toen mama, Levesque en Phoebe binnenkwamen. Ik keek naar de klok op de muur. Het was het deel van de nacht dat mama de kleine uurtjes noemde. Ze waren blijkbaar de minuut nadat ik had gebeld in de auto gesprongen en hadden aan een stuk door gereden. Voor ik het wist, stond mama me te knuffelen alsof ze me nooit meer los zou laten. 'We waren zo bang. Ze hebben ons op weg hierheen laten stoppen. Hij zou een boete voor te snel rijden hebben gekregen als hij zijn politie-insigne niet had laten zien.'

Had mijnheer De Wet voor mij te snel gereden?

'Alles goed met je?' vroeg Levesque. Hij inspecteerde me nog eens van kop tot teen toen ik zei dat ik oké was. Toen ging hij overleggen met Steve.

Ik legde het boek van Steve terug op zijn werktafel en ging naar huis met mama en Phoebe. Ik wist heel zeker dat ik nooit zou kunnen slapen. Ik had het mis.

Ik werd de volgende ochtend om negen uur wakker. De deur naar mama's slaapkamer stond open. Ze sliep nog. Levesque was weg. Toen ik zag dat hij ook niet beneden was, liep ik naar buiten om hem te zoeken.

Levesque zat met zijn voeten op zijn werktafel. Hij leunde achterover in zijn stoel en hield een kop koffie in zijn hand. Hij glimlachte zelfs toen hij me zag.

'Jij bent vroeg uit de veren voor een zaterdag,' zei hij.

'En jij ziet er behoorlijk relaxed uit, als je bedenkt dat iemand me gisterennacht bijna had vermoord.'

'Nou, dat zal hij voorlopig wel laten.'

'Ik bedoel Gary,' zei ik.

'Ik ook. Ik heb net een telefoontje gekregen van de OPP. Ze hebben hem opgepakt...' Hij keek op zijn horloge. 'Een paar uur geleden al zelfs.'

'En ben je er zeker van dat hij het is?'

Hij knikte. 'Gary Leaming. Hij heeft een strafblad.'

'Voor moord?'

Levesque schudde zijn hoofd. 'Inbraak.'

'Hij heeft Davis erin geluisd, hè?'

Eerst zei Levesque niets. Toen knikte hij. 'Daar lijkt het in ieder geval op. Maar dat zou niet zijn gebeurd als Davis niet zulke gevaarlijke spelletjes had gespeeld.'

Je meent het.

'Gary rekende er niet op dat iemand als Davis zijn pad zou kruisen, hè?' zei ik. 'Hij was niet op zoek naar iemand die Meadows voor hem zou vermoorden.'

Levesque schudde zijn hoofd. 'Naar ik heb gehoord, is hij nu ook weer niet zo dom. Hij was hierheen gekomen om ervoor te zorgen dat Meadows de rechtszaal niet zou halen voor zijn getuigenis. Davis kwam gewoon op het goede moment voor hem. Het was een manier om de moord zelf niet te hoeven plegen. Als Davis daar niet verzeild was geraakt, zou Gary de klus helemaal in zijn eentje hebben geklaard.'

Er zat me nog steeds iets dwars. Eigenlijk zat me nog van alles dwars.

'Dus Davis kruist het pad van Gary,' zei ik. De stukjes van de puzzel vielen nu allemaal op hun plaats. 'En hij begint op te scheppen dat hij wel eens in een bungalow zou willen inbreken. Dan vertelt hij Gary over zijn scenario…'

'En Gary stelt voor om Davis de kneepjes van het vak te leren,' zei Levesque. 'Tenminste, zo vertelt Davis het.'

'Dus die eerste inbraken, die waar niks is gestolen…?'

'Daarvan wordt Davis beschuldigd. Gary heeft foto's genomen om daarvoor te zorgen. Hij zorgde er ook voor dat we de inbraken op het spoor kwamen, waardoor er een patroon zichtbaar werd… Zo zouden we denken dat Meadows was vermoord door een en dezelfde persoon, als onderdeel van een inbraak.'

'Maar de meeste bungalows staan leeg rond deze tijd van het jaar. Hoe kon hij er zeker van zijn dat jullie erachter zouden komen?'

'Ik vermoed dat hij de eerste inbraak zelf heeft aangegeven,' zei Levesque. Ik dacht terug aan zondag aan tafel. Levesque had gezegd dat de eerste inbraak was gemeld door een man die met zijn hond aan het wandelen was.

'En de andere twee?'

'De wandelclub afficheert de route die ze zullen volgen altijd. Ik denk dat Gary gewoon bungalows heeft uitgekozen die vanaf de weg goed zichtbaar zijn. En de klusjesman die de derde inbraak ontdekte, zit 's avonds vaak bij Ralph's. Davis zegt dat Gary daar ook regelmatig kwam.'

Ik knikte weer. Ik herinnerde me dat Davis Ralph's was binnengekomen toen ik daar was om de voetbalploeg te interviewen voor mijn cafetaria-artikel. Hij had naar iemand lopen zoeken.

'Maar waarom heeft Gary zich na de moord op Meadows niet meteen uit de voeten gemaakt?' vroeg ik. 'Waarom is hij hier nog drie dagen blijven rondhangen?'

Levesque haalde zijn schouders op. 'Dat zullen we pas weten als Gary een volledige bekentenis heeft afgelegd. Maar volgens mij is hij gebleven omdat hij bang was dat Davis domme dingen zou gaan doen. Iemand voor een moord laten opdraaien leek op het eerste gezicht misschien een goed idee, maar creëerde een heleboel nieuwe problemen voor Gary.'

'Wat gebeurt er nu met Davis?'

'Hij heeft zich behoorlijk in de nesten gewerkt.'

'Hij heeft mijn leven gered,' zei ik.

Levesque was onvermurwbaar. 'Maar eerst heeft hij het in gevaar gebracht.'

De eerste die ik tegenkwam toen ik het politiebureau uitliep, was Ross. Hij wilde het hele verhaal horen.

Ik beloofde dat ik hem alles zou vertellen, onder twee voorwaarden. Eén, dat hij mij op een ontbijt zou trakteren – meer een brunch, eigenlijk – bij Grootmoeders Keuken. Twee: dat hij zou zweren aan niemand te vertellen wat ik hem had toevertrouwd.

Ik stak net de laatste hap van mijn omelet met kaas in mijn mond, toen Daria het restaurant binnenkwam. Ze stond in de deuropening en keek de zaal rond. Toen ze mij zag, lichtten haar ogen op. Toen ze naar me toe beende, hield ik me schrap.

'Ik moet met je praten,' zei ze.

Ik pakte de blinkende metalen servetring die op de tafel lag en keek erdoor. 'Wel, wel, wel,' zei ik tegen Ross. 'Ik ben blijkbaar niet meer onzichtbaar.'

Daria's wangen kleurden rood. 'Ik moet je echt spreken,' zei ze.

Ik wees haar de stoel tegenover mij aan. Zij had tenslotte mijn hachje gered bij juffrouw Jeffries toen mijnheer Green zijn papieren tussen mijn spullen had gevonden. Ik wilde weten waarom.

Ross wilde opstaan.

'Blijf maar, hoor,' zei ik tegen hem. En tegen Daria: 'Ross is mijn vriend.'

Dat schrikte haar niet af. Ze liet zich naast hem op de bank glijden.

'Al die dingen die er met de auto van mijnheer Green zijn gebeurd?' zei ze en ze zweeg. Vroeg ze me nu iets of wilde ze me iets vertellen? 'Daar zat Rick achter,' zei ze uiteindelijk. 'De spiekbrief, dat was Davis. Sarah heeft me alles verteld. Ze voelde zich schuldig. Ik heb het aan Rick verteld. Dat mocht eigenlijk niet. Ik mocht het aan niemand vertellen.' Maar ze had het toch gedaan. 'Toen ik het hem vertelde, begonnen de radertjes in zijn hoofd meteen te draaien. De kapot gestoken autoband, de diefstal uit de auto van mijnheer Green, de papieren van mijnheer Green die tussen jouw spullen terechtkwamen…'

'Hoe heeft hij dat trouwens voor mekaar gekregen?'

'Herinner je je dat gevecht in de gang nog?'

Ja.

'Is je toen niks opgevallen aan de twee jongens die erbij betrokken waren?'

Ik begon met mijn hoofd te schudden. Het waren gewoon twee jongens. Twee jongens van de voetbalploeg… 'Oh,' zei ik.

'Het was allemaal opgezet spel van Rick.'

Ik hoefde niet eens te vragen waarom.

'Ik was er niet bij toen hij dat allemaal deed en ik zweer dat ik er niks mee te maken had. Maar hij vertelde me wel alles. En, ik, idioot die ik was, hield mijn mond.'

'Tot de papieren van mijnheer Green uit mijn map vielen.'

Ze haalde haar schouders op. 'Genoeg is genoeg,' zei ze. 'Ik ga maandagochtend meteen naar juffrouw Jeffries om haar alles te vertellen. Niet dat het veel zal uithalen. Rick zal alles ontkennen en ik heb geen enkel bewijs. Het zal mijn woord tegen dat van hem zijn.'

Ik dacht even na. Misschien had ze gelijk. Misschien ook niet.

'Daria? Stel nu dat ik ervoor kon zorgen dat het niet zijn woord tegen dat van jou is?' Ik had haar interesse gewekt.

'Misschien moet je nog maar even wachten met alles aan juffrouw Jeffries te vertellen,' zei ik.

Nu had ik haar volle aandacht.

Die nacht sliep ik slecht. Twee keer viel ik in slaap en twee keer schrok ik wakker van een nachtmerrie waarin ik werd achternagezeten door een wilde hond die Dracula heette. De eerste keer vloog hij op me af met vlijmscherpe ontblote tanden, klaar om me uit elkaar te rijten. De tweede keer boorde hij zijn tanden in mijn schouder. Ik werd wakker met een droge mond, klamme kaken en een bonkend hart. Ik stapte uit bed, ging naar beneden, zette de televisie aan zonder geluid en nestelde me op de bank om naar de herhalingen van stomme series van twintig jaar geleden te kijken. Melige onzin, maar toch beter dan de film die zich in mijn hoofd had afgespeeld.

Ergens tussen half vijf en vijf uur 's ochtends kwam mama de trap afgeslopen. Haar haar stond alle kanten op. Ze kwam naast me zitten.

'Ben je wakker geworden van de tv?' zei ik.

Ze schudde haar hoofd.

'Ik werd gewoon wakker en moest opeens gaan kijken of alles wel goed met je was. Ik ben in je kamer gaan kijken.' Ze lachte. 'Dat heb ik al jaren niet meer gedaan.'

'Met mij is alles goed,' zei ik.

Ze bleef een tijdje bij me zitten. We keken naar een oude show. Hij was best grappig. Toen maakte mama een kop chocolademelk voor me. Toen ik die op had, stuurde ze me weer naar bed. Ik werd net voor het avondeten wakker.

'Nog nieuws over Davis?' vroeg ik, toen ik de aardappelen aan Levesque doorgaf.

Hij haalde zijn schouders op. 'De openbare aanklager heeft de aanklachten nog niet allemaal geformuleerd. Die inbraken, die worden hem al zeker ten laste gelegd. Misschien ook wapenbezit. Doodslag, misschien. Zijn vader heeft blijkbaar een dure advocaat in de arm genomen. En hij is minderjarig. Onder deze omstandigheden zou je waarschijnlijk kunnen aanvoeren dat hij niet vrijwillig bij Meadows heeft ingebroken en hem uit zelfverdediging heeft neergeschoten. Ik denk niet dat daar oor naar zou zijn geweest als Gary zelf had geschoten. Maar het is duidelijk dat Davis werd gemanipuleerd. Hij wist dat wat hij deed verkeerd was, maar hij wist niet wat de bedoeling was.'

'Maar hij *vroeg* wel om problemen,' zei Phoebe.

'Dat is een feit,' zei Levesque terwijl hij de aardappelen aan haar doorgaf. 'Het is nu net de vraag om hoeveel problemen hij vroeg.'

'Wat als het andersom was gebeurd?' vroeg ik. 'Meadows hield zich schuil. Hij had zelf een revolver. Zelfs als hij niet verwachtte dat er die nacht iets zou gebeuren, was hij er toch op voorbereid. Davis zei dat Meadows hem niet waarschuwde, niet zei: 'Halt of ik schiet.' Hij richtte gewoon zijn revolver op hem en het leek of hij ging schieten. Dus schoot Davis eerst. Maar wat als Davis had gemist? Wat als Meadows Davis had doodgeschoten?'

'Ik kan niet voor Gary spreken,' zei Levesque na een paar ogenblikken,'maar ik weet wat ik zou hebben gedaan.'

We wachtten allemaal.

'Meadows neerschieten met de revolver van Davis,' zei mijn moeder opeens. We staarden haar allemaal verbijsterd aan, Levesque nog meer dan Phoebe en ik. Mama's wangen kleurden rood. 'Het zou toch hebben gewerkt? Het zou hebben geleken alsof Meadows een inbreker had betrapt en ze elkaar hadden neergeschoten. Toch?'

'Ja,' gaf Levesque toe. 'Dat zou hebben gewerkt. Maar ik weet niet of ik het prettig vind dat mijn gezin zo meedenkt met criminelen.'

Mama bloosde nog harder en grijnsde tot het leek alsof haar gezicht in tweeën zou barsten. Ik denk dat dat woordje 'gezin' het hem deed.

'Dus alles in acht genomen,' zei ik, 'mag Davis nog van geluk spreken.' Maar ik vroeg me af of hij daar ook zo over dacht.

Ik zag Steve Denby pas weer toen ik maandagochtend naar school liep. Ik vroeg hem om me uit te leggen hoe dat precies zat met nin-hydrin. Toen vroeg ik alles over papier. Blijkbaar had ik goed begrepen wat ik in dat boek over vingerafdrukken had gelezen toen ik op Levesque en mama en Phoebe had zitten wachten op het politiebureau. Toen ik met Steve had gepraat, moest ik weer een hele tijd wachten. Tot het lunchpauze was, om precies te zijn.

Rick en Daria zaten op hun vaste stek bij Ralph's. Rick at een hamburger met friet. Daria alleen friet. Ze hadden elk een glas cola voor zich staan. Dat van Rick was half leeg.

Daria kreeg me in de gaten en knikte bijna onmerkbaar.

'Hoi, Rick,' zei ik en ik liet me op de bank naast haar glijden.

'Ik heb gehoord dat je bijna hondenvoer was,' zei hij, met zijn mond vol hamburger.

'Echt? En ik heb gehoord dat de politie het voorwerp waarmee is ingebroken in de auto van mijnheer Green heeft gevonden en dat ze er vingerafdrukken op hebben gezocht. En weet je wat? Ze hebben er een gevonden. Een mooie duidelijke.'

Rick nam een slok van zijn cola en weer een hap van zijn hamburger.

'En wat is daarmee?' zei hij.

'Wel,' zei ik en ik reikte naar zijn glas, greep het aan de bodem vast en trok het buiten zijn bereik, 'het zou misschien interessant zijn om die vingerafdruk te vergelijken met de vingerafdrukken die jij net op dit glas hebt achtergelaten.'

Soms is Daria toch echt een schatje. Ze speelde perfect het geschrokken vriendinnetje.

'Rick, misschien zou je toch...'

'Doe maar,' zei Rick tegen mij. 'Pak het. Ren maar naar pappie. Es kijken wat hij ontdekt.'

'Rick, als de politie...'

'Hou je kop, Daria,' zei hij.

'Maar als de politie...'

'Als de politie *wat*?' zei Rick. 'Die vindt immers niks, omdat er niks te vinden is. Denk eens twee minuten na. Stel dat ik het was,

221

en ik zeg niet dat ik het was – ik was het gewoon niet -, maar stel nu, hoe dom denk je dan dat ik ben? Denk je nu echt dat ik mijn vingerafdrukken zou achterlaten op de metalen staaf waarmee ik een autoraampje had ingeslagen?' Daria keek naar mij. Ze had het ook gehoord. Wie had er gerept over een metalen staaf?

Ik liet me van de bank glijden, nam het glas mee en hield het stevig vast. 'Nee, ik denk niet dat je zo dom zou zijn,' zei ik. 'Je bent geen Einstein, maar je bent ook geen idioot. Als je geen handschoenen droeg toen je het raampje insloeg, zal je wel slim genoeg zijn geweest om je vingerafdrukken af te vegen voor je die staaf weggooide.'

Hij keek naar het glas en grinnikte.

'En je zult ook wel handschoenen hebben gedragen toen je die bladzijde uit het woordenboek hebt gekopieerd, hè, Rick?'

Zijn mondhoeken trilden als een kaarsvlammetje in een vriendelijk briesje.

'Want weet je wat ik net heb ontdekt, Rick? Ik heb net ontdekt dat de politie tegenwoordig gebruik maakt van een chemische stof, ninhydrin, om vingerafdrukken van een blad papier te halen. En het werkt echt. Ik ben er ook achtergekomen dat mensen er nooit bij stilstaan dat ze hun vingerafdrukken ook op papier achterlaten. Van metaal en glas en hout vegen ze hun vingerafdrukken af. Maar ze staan niet stil bij wat ze op papier achterlaten. En nu blijkt de politie die fotokopie uit mijnheer Greens auto toevallig nog te hebben ook.'

Nu glimlachte Rick niet meer. Hij gleed naar de rand van de bank en haalde opeens uit om me vast te grijpen. Wie weet, misschien was het hem zelfs gelukt als Daria haar voet niet had uitgestoken en hem had laten struikelen. Hij viel keihard op de vloer. Ik snelde Ralph's uit met het glas in mijn handen.

De *Beacon* van East Hastings moest het nu met een reporter minder stellen. De middelbare school van East Hastings moest het nu met een goeie linksachter minder stellen, althans voorlopig. Rick was uit de voetbalploeg gezet om wat hij met de auto van mijnheer Green had gedaan. Maar verder ging het leven weer zijn gewone gangetje. Min of meer.

Op dinsdagochtend had ik geschiedenis. Mijnheer Green keek me de hele les niet aan. Toen de bel ging, vroeg hij of ik nog even in de klas wilde blijven. Ik bleef op mijn plaats zitten tot iedereen weg was. Hij bleef op zijn plaats zitten, achter zijn lessenaar. Een paar ogenblikken lang staarde hij me aan zonder iets te zeggen. Toen stond hij met een zucht op.

'Ik moet je mijn excuses aanbieden,' zei hij.

'Dat vind ik ook.' Hij keek verbijsterd. De eerste rode vlek verscheen al boven zijn kraag.

'U hebt me beschuldigd van spieken. U hebt me ervan beschuldigd uw autoband kapot te hebben gestoken. U hebt me beschuldigd van inbraak in uw auto. En u had nergens ook maar enig overtuigend bewijs voor.'

Nu was zijn hele nek bloedrood en zijn kin ging ook flink die kant op.

'Je hebt gelijk,' zei hij. 'Het spijt me.

Ik staarde hem verbluft aan. Hij had de woorden niet alleen uitgesproken, hij meende ze blijkbaar ook nog.

'Onschuldig tot de schuld is bewezen, akkoord?'

Ik knikte.

'Geen slecht principe,' zei hij. Toen glimlachte hij zelfs naar me. 'Ga nu maar gauw,' zei hij, 'of je komt nog te laat in de volgende les.' Ik pakte mijn boeken. 'Oh, ja, tussen haakjes, dat werkstuk van je over *Les filles du roi*.'

Ik hield mijn adem in.

'Dat was uitstekend, Chloe,' zei hij. 'Ik heb er je een A + voor gegeven. En dat heb ik gedaan voor ik wist wie mijn auto nu echt had beschadigd.'

Ik besloot hem te geloven. Mijn beurt om te glimlachen.